KB122995

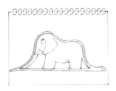

어린 왕자

Le Petit Prince

옮김 정진숙
1954년 서울에서 태어나, 《아동 문예》를 통해 문단에 나왔습니다. 《아동 문예》 작가상을 수상했고, 어린이를 위해 쓴 책으로는 창작 동화집 《솔바람이 그리는 풍경》이 있습니다.

그림 문계주
1967년 4월 29일생으로, 1989년 《겨울 풍경》으로 데뷔했습니다. 대표작으로는 《유쾌한 이웃》, 《꼬마와 가정 교사》, 《김치 텍사스》, 《아프리카의 꿈》, 《별똥별이 지나는 길》, 《엄마는 요술쟁이》 등이 있습니다.

작품 해설 김준우
서울대학교 국어국문학과 대학원에서 박사 과정을 수료한 후, 서울대, 가톨릭대 등에서 강의했습니다. 저서로는 《자율 학습 18종 문학》(지학사)과 《수능 필독 현대 소설 감상 1, 2》, 《수능 필독 현대 시 감상》 등이 있고, 이외에 삼성출판사 《삼성 세계 명작》에서 재미있는 논술 이야기를 집필했습니다. 현재 (재)한국언어문화연구원의 수석 연구원으로 활동하고 있습니다.

⚜

11 어린 왕자

개정1판 1쇄 2016년 3월 1일
개정2판 1쇄 2024년 4월 1일

발행처 ㈜삼성출판사 **발행인** 김진용
등록 번호 제1–276호
주소 서울특별시 서초구 명달로 94
문의 전화 080–470–3000, (02)3470–6950
홈페이지 www.ssbooks.com

어린 왕자

Le Petit Prince

삼성출판사
samsungbooks.com

이 책을 한 어른에게 바친 데 대해 어린이들에게 용서를 바랍니다.
나에게는 그럴 만한 중요한 이유가 있습니다.
그것은 무엇보다도 그 사람은 이 세상에서 나와 가장 친한
친구이기 때문입니다. 그리고 또 다른 이유가 있습니다.
그는 무엇이든지 알아들을 수 있으며,
어린이를 위한 책까지도 이해할 줄 안다는 것입니다.
세 번째 이유는 그는 프랑스에서 살고 있는데
그곳에서 추위와 굶주림에 떨고 있다는 사실입니다.
그는 위로받아야 할 처지에 있는 것입니다.
이 모든 이유로도 충분하지 못하다면
어른이 되기 전, 어린 시절의 그에게 이 책을 바치고 싶습니다.
어른들도 모두 한때는 어린이였으니까요.
(물론 그것을 기억하는 어른들은 별로 없지만.)
그래서 바치는 글을 이렇게 고쳐 씁니다.

'어린 시절의 레옹 베르트에게 이 책을 바칩니다.'

내가 여섯 살 때였다. 한번은 원시림에서 실제로 일
어난 일들이 쓰인 《삶의 진실한 이야기들》이라는 책을
보게 되었다.

거기에는 놀랍고도 신기한 것들이 많았다. 그중에서
도 특히 보아 뱀 그림이 내 눈길을 끌었다. 보아 뱀이 어
떤 동물의 몸을 친친 감아 삼키려고 하는 그림이었다.

그림에는 이런 설명이 덧붙여 있었다.

'보아 뱀은 먹이를 씹지 않고 통째로 삼킨다. 그러고

나면 움직일 수 없어서, 그 먹이가 다 소화될 때까지
여섯 달 동안이나 잠을 잔다.'

그 책을 보고 나자 나는 원시림 속에서 일어나고 있
는 일들이 궁금해지기 시작했다. 그래서 밀림에서 일어
나는 일들을 곰곰이 생각해 보고, 여러 가지 상상이 떠
오르자 그림으로 그리고 싶은 생각이 들었다.

그래서 나도 모르게 색연필로 그림을 그려 보았다.

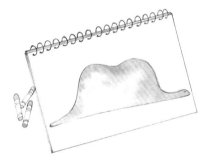

이 그림이 내가 처음으로 그린 그림이었다.

나는 내 그림을 어른들에게 보여 주며 자랑스럽게 물
었다.

"이 그림 어때요? 무섭지요?"

나는 어른들이 깜짝 놀랄 것이라고 기대하며 그들의

얼굴을 쳐다보았다.

"모자가 뭐가 무섭니?"

나의 물음에 어른들은 이렇게 대답했다.

어른들은 내가 그린 그림을 너무도 몰랐다. 그것은 결코 모자가 아니었다. 보아 뱀이 통째로 삼킨 코끼리를 소화시키고 있는 무시무시한 그림이었다.

나는 너무나 답답해서 이번에는 어른들이 쉽게 알아볼 수 있도록 보아 뱀의 배 속에 들어 있는 코끼리를 그렸다. 어른들은 무엇이든 자세히 설명해 주지 않으면 모른다.

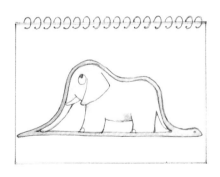

이것이 내가 두 번째로 그린 그림이었다.

그러자 내 그림을 본 어른들은 이번에는 대뜸 이렇게

말하는 것이었다.

"속이 보이거나 말거나 보아 뱀 그림 따위는 집어치
우고, 차라리 지리나 역사, 국어나 수학 같은 공부를
열심히 해라. 너한테는 그것이 더 좋을 거다."

이런 말들은 내 장래에 커다란 영향을 미쳤다. 이 일
로 인해 나는 여섯 살 때 훌륭한 화가가 되려고 했던 꿈
을 포기하게 되었다. 내가 처음으로 그린 그림과 두 번
째로 그린 그림이 형편없다는 말을 들은 것에 무척 실망
했기 때문이다. 나는 그것이 너무도 마음 아팠다.

어른들은 혼자서는 아무것도 이해하지 못한다. 그래
서 어른들에게는 이것은 이렇고 저것은 저렇다고 자세
히 설명을 해 주어야 한다. 하지만 그것이 어린이들로
서는 여간 힘들고 귀찮은 일이 아니다.

그림 그리는 것에 실망을 느낀 나는 하는 수 없이 다
른 직업을 선택했다.

나는 비행기 조종하는 것을 배웠다. 비행기 조종사가
된 나는 닥치는 대로 날아다녔다. 안 다녀 본 곳이 거의
없을 정도로 세계 여러 곳을 가 보았다.

그런 나에게 지리 공부는 실제로 많은 도움이 되었다. 처음 가 보고서도 그곳이 중국인지 미국의 애리조나인지 척 구별할 수 있었다. 특히 밤중에 길을 잃었을 때는 지리 공부를 해 둔 것이 큰 도움이 되었다.

나는 조종사로서 살아오는 동안 많은 사람들과 사귀게 되었다. 오랫동안 어른들과 생활하면서 나는 여러 가지로 어른들의 성격을 알게 되었다. 그들을 아주 가까이서 지켜보았기 때문이다. 그렇다고 해서 어른들에 대한 내 생각이 어릴 때와 아주 달라진 것은 아니다.

나는 내가 그린 첫 번째 그림을 늘 지니고 다니다가 현명해 보이는 사람을 만나면 보여 주곤 했다. 정말로 그 사람이 나의 첫 번째 그림을 이해할 수 있는 사람인지 알아보고 싶었기 때문이다. 하지만 대답은 언제나 내 기대에 어긋났다.

"근사한 모자로군."

사람들은 한결같이 이렇게 말했다.

그런 말을 들을 때마다 나는 왠지 슬퍼져서 원시림 이야기도, 보아 뱀 이야기도, 별에 관한 이야기도 꺼내지 않았다. 그런 사람들 앞에서는 도저히 보아 뱀 이야기를 꺼낼 수가 없었다. 내 이야기를 듣고는 오히려 나를 정신이 이상한 사람으로 여길 테니까 말이다.

그 대신 그런 사람들과는 그들이 알아들을 수 있는 이야기를 했다. 카드놀이나 골프, 정치, 넥타이 등에 대한 이야기들 말이다. 그러면 그들은 나를 무척 똑똑하고 친절한 사람이라고 생각하며, 나에게 관심을 가지고 친해지려고 했다. 그리고 매우 만족해하며 이렇게 말했다.

"당신은 상식이 무척 풍부한 사람이군요. 당신을 만나게 돼서 정말 반갑습니다."

★02

    나는 아는 사람은 많지만 내가 마음을 터놓고 이야기를 할 만한 친구는 없었다. 그래서 누군가에게 마음을 털어놓지 못하고 혼자서 외롭고 쓸쓸하게 지냈다.

    이런 나의 외로움은 6년 전 사하라 사막에서 비행기가 고장 날 때까지 계속되었다.

    비행기의 기관 어딘가에 고장이 나는 바람에 나는 사막 한가운데에 불시착하게 되었다. 무척 겁이 났다. 더군다나 그 비행기 수리를 혼자서 해야만 했으니 눈앞이 캄캄할 뿐이었다. 그곳에는 승객도 정비사도 없었다. 사막에서 죽지 않고 살아 나오려면 나 혼자서 그 일을 해내야만 했다. 나에게 그것은 생사가 달린 문제였다. 나는 죽기 살기로 비행기 고치는 일에 매달렸다. 마실 물도 겨우 일주일분밖에 남아 있지 않았다.

    사막에서 첫날 밤을 맞았다. 사람들이 사는 곳에서 수천 마일 떨어진 사막에서 혼자 잠을 잤다. 그것은 뗏

목 하나에 의지해 막막한 바다 한가운데 떠 있는 난파선의 선원보다도 더 외로운 신세였다.

그렇기 때문에 아침 해가 뜰 무렵, 나를 깨우는 소리를 듣고 얼마나 놀랐는지 모른다. 믿기지 않는 일이었지만 아이의 목소리가 아주 가늘게 들려왔다.

"아저씨……, 나 양 한 마리만 그려 줘."

애원하는 듯한 절박한 목소리였다.

"뭐?"

"양 한 마리만 그려 줘."

나는 벼락이라도 맞은 것처럼 벌떡 일어났다. 아무도 없는 사막에서 사람 목소리가 들리다니 믿을 수 없는 일이었다.

나는 눈을 비비고 사방을 둘러보았다. 그러자 바로 내 눈앞에 이상한 옷을 입은 조그만 사내아이가 나를 빤히 내려다보고 있는 게 보였다. 나는 더욱더 놀라서 눈이 휘둥그레졌다.

그런데 이상한 일이었다. 그 사내아이를 바라보고 있자니 조금 전까지 내 마음속에 있던 두려움이 어디론가 사라져 버리는 것이었다.

더 놀라운 것은, 그 사내아이는 사람이 살지 않는 이 사막에서 길을 잃고 헤매는 것 같지도 않았고, 별로 지쳐 보이지도 않았다. 그저 천진난만한 어린이의 모습 그대로였다.

여기 그 아이의 초상화가 있다.

이 그림은 내가 나중에 그 사내아이를 그린 것 중에서 가장 잘된 그림이다. 하지만 아이의 실제 모습보다는 훨씬 못 그린 것이다.

그렇더라도 그것은 내 탓이 아니다. 내가 여섯 살 때 어른들 때문에 화가의 꿈을 포기하게 된 뒤로는 그림이라고는 한 번도 그리지 않았기 때문이다. 내가 그려 본 그림이라고는 속이 보이는 것과 속이 안 보이는 보아 뱀밖에는 없었다.

나는 눈을 동그랗게 뜨고 아이를 찬찬히 바라보았다.

아까도 말했듯이, 나는 사람들이 살고 있는 곳에서 수천 마일이나 떨어진 사막 한가운데에 있었던 것이다. 그런데 아무리 뜯어보아도 그 아이는 길을 잃은 것 같지도 않았고, 배가 고프다거나 목이 마른 것 같지도 않았으며, 무서움에 두려워하는 빛도 없었다.

한참 만에야 나는 겨우 말문이 트여 말을 했다.

"그런데 너 지금 여기서 뭐 하고 있니?"

그러자 아이는 중요한 일이기나 한 것처럼 조금 전의 말을 다시 한 번 되풀이했다.

"아저씨, 내게 양 한 마리만 그려 줘."

누구라도 이상한 일을 당하게 되면 그것을 거역할 수 없다. 그때의 내가 바로 그랬다. 사람들이 살고 있는 곳으로부터 수천 마일이나 떨어져 당장 죽을지도 모르는 상황인데 양이나 그리고 있는 것은 너무도 엉뚱하고 이상한 일이었다.

그러나 나는 그 아이의 진지한 눈빛에 이끌려 주머니에서 종이와 만년필을 꺼냈다. 그렇게 준비는 했지만 막상 그림을 그릴 수가 없었다.

그 순간 나는 지리와 역사, 그리고 국어와 수학 공부밖에 하지 않은 게 생각나서 기분이 좀 언짢았다.

"나는 그림을 그릴 줄 몰라."

나는 퉁명스럽게 말했다.

"괜찮아. 양 한 마리만 그려 줘."

아이는 내 말에 상관하지 않고 계속 졸라 댔다.

나는 어떻게 해야 할지 알 수 없었다. 양을 그릴 줄 모르는데 아이는 자꾸만 양을 그려 달라고 조르니 말이다. 그래서 할 수 없이 내가 그려 보았던 두 가지 그림 중 하나를 그려 주었다. 보아 뱀이 코끼리를 삼키고 있는 속이 보이지 않는 그림이었다.

내가 그림을 보여 주자 아이는 놀랍게도 이렇게 말하는 것이었다.

"아냐, 아냐! 뱀은 싫어. 내가 언제 코끼리를 삼킨 보아 뱀을 그려 달랬어? 보아 뱀은 아주 위험해. 그리고 큰 코끼리는 너무 거추장스러워. 자리를 많이 차지하기 때문에 함께 지낼 수 없단 말이야. 내가 사는 곳은 아주 작아. 그러니까 조그맣고 귀여운 양을 그려 줘."

아이는 별다른 표정을 짓지 않고 말했지만 나는 놀라지 않을 수 없었다. 수많은 사람이 모두 모자를 그린 것으로 알았던 내 그림을 그 아이는 보아 뱀으로 보았기 때문이다.

나는 그 아이한테서 뭔지 모를 신비한 느낌을 받았다. 나는 다시 서툴게 양을 그렸다. 아이는 양 그림을 자세히 들여다보더니 말했다.

"아니야! 이 양은 병들었잖아. 다른 양을 그려 줘."

나는 다시 양을 그리기 시작했다. 정성껏 최선을 다해 그려서 아이에게 보였다.

　나의 어린 친구는 할 수 없다
는 듯이 생긋 웃으며 말했다.

　"아저씨, 이 양은 숫양이란
말이야. 뿔이 나 있는걸."

아이는 그림 속의 뿔을 가리키며 나를 쳐다보았다.

그래서 나는 또다시 양을 그렸다.

하지만 그 그림도 역시 앞의 그림들처럼 아이의 마음
에는 들지 못했다.

　　　　　　"이 양은 너무 늙었어. 나는
　　　　　　오래오래 함께 지낼 수 있
　　　　　　는 양을 갖고 싶어."

　　　　　　이런 식으로 내가 어렵게
　　　　　　그린 그림마다 퇴짜를 놓
자 나는 더 이상 참을 수가 없었다.

　게다가 한시바삐 고장 난 비행기의 기관을 손봐야 이
끔찍한 사막에서 나갈 수 있기 때문에 마음이 몹시 바빴
다. 어린아이와 이렇게 시간을 낭비하고 있을 여유가
없었다. 그래서 이번에는 아무렇게나 그린 그림을 보여
주었다.

"이건 상자야. 네가 갖고 싶어 하는 양은 이 안에 들어 있어."

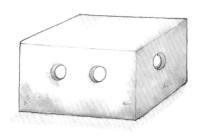

내가 이렇게 말하자 뜻밖에도 어린 친구의 표정이 환하게 밝아지는 것이었다.

"그래, 내가 갖고 싶은 양은 바로 이거야. 그런데 아저씨, 이 양은 풀을 많이 줘야 할까?"

어린아이의 갑작스러운 물음에 나는 당황해서 이렇게 물었다.

"왜 그런 걱정을 하지?"

"난 아주 작은 곳에서 사니까."

아이는 슬픈 표정을 지으며 나를 쳐다보았다.

"걱정하지 않아도 돼. 이 양도 아주 작으니까."

내 말을 듣자 아이는 고개를 숙이고 그림 속의 상자를 가만히 들여다보았다.

그러더니 조금 불만스러운 얼굴로 말했다.

"그렇게 작지도 않은데……. 야! 양이 잠들었네."

나는 이렇게 해서 어린 왕자를 알게 되었다.

✦ 03

　어린 왕자가 어디서 왔는지 알게 되기까지는 오랜 시간이 걸렸다. 어린 왕자는 내게 많은 것을 물었지만 내가 묻는 말은 귀담아듣지 않았다.

　너무나 불공평한 일이었다.

　나는 다만 어린 왕자가 우연히 하는 말과 순간적인 행동을 통해 차츰차츰 그 아이에 대해 알게 되었다.

　예를 들어, 내 비행기를 처음 보았을 때(내 비행기는 그리지 않을 것이다. 그건 내가 그리기에는 너무나 복잡한 그림이다.) 어린 왕자는 이렇게 물었다.

　"이게 무슨 물건이야?"

　"이건 물건이 아니라 하늘을 날아다니는 비행기야. 내가 타고 온 거지."

　나는 비행기가 새처럼 날아다니는 것이라고 가르쳐 주면서 은근히 자랑스러워했다.

　그 말에 어린 왕자는 깜짝 놀라며 소리쳤다.

"그럼 아저씨도 하늘에서 떨어진 거야?"

"그래."

나는 문득 내 처지가 떠올라 고개를 떨어뜨리며 힘없이 대답했다.

"야, 정말 재미있는데!"

어린 왕자는 아주 재미있다는 듯이 소리 내어 깔깔 웃었다.

나는 어린 왕자의 웃음에 화가 났다. 다른 사람들도 내 불행을 심각하게 생각해 주기를 바랐기 때문이다. 그런데 격려를 해 주거나 진지하게 생각해 주기는커녕 비웃는 것 같아 몹시 화가 났다. 그런데 어린 왕자는 내 기분은 아랑곳하지 않고 계속해서 물었다.

"아저씨도 하늘에서 왔구나. 그럼 아저씨는 어느 별에서 왔어?"

순간 나는 어린 왕자의 신비로운 정체를 밝힐 수 있는 한 줄기 희미한 빛이 비치고 있음을 깨달았다. 그래서 재빨리 물었다.

"그럼 너는 다른 별에서 왔단 말이니?"

나는 이제 어린 왕자에 대한 것을 어느 정도 알 수 있을 것 같다는 생각이 들었다. 그런데 나의 마음을 알아 챘는지 어린 왕자는 내가 묻는 말에 아무런 대꾸도 하지 않았다. 그저 내 비행기를 살피면서 조용히 고개를 끄덕였다.

"이걸 타고 왔다면 그리 멀리서 온 것은 아니겠는걸."

어린 왕자는 고개를 숙이고 한참 동안 생각에 잠겼다. 그리고 나서는 내가 그려 준 양 그림을 꺼내어 무슨 보물이나 되는 듯이 가만히 들여다보았다.

다른 별에 대한 이야기가 나온 김에 나는 여러 가지 궁금한 것을 물어보고 싶어 참을 수가 없었다. 그래서 이것저것 질문을 해 보았다.

"넌 어디서 왔니? 네가 사는 곳은 어디야? 내가 그려 준 양을 어디로 데려가려고 하는 거니?"

어린 왕자는 내가 묻는 말에는 대답하지 않고 묵묵히 듣고만 있었다. 그리고 한참이나 곰곰이 생각하더니 이렇게 말했다.

"잘됐어. 아저씨가 그려 준 상자는 여러 가지로 사용할 수 있겠어. 밤엔 양의 집으로 쓰면 좋겠어."

"그럼, 그렇고말고. 네가 착하게 말 잘 들으면 고삐랑

말뚝도 그려 줄 테니 낮에는 끈으로 양을 매어 두렴."

하지만 어린 왕자는 내 말이 마음에 들지 않는지 언짢은 표정으로 말했다.

"양을 매어 둔다고? 참 이상한 생각을 하네."

"하지만 매어 두지 않으면 아무 데나 돌아다니다가 길을 잃을지도 몰라."

내 말에 어린 왕자는 깔깔대며 웃는 것이었다.

"가긴 어디로 간다는 거야?"

"어디든지. 그냥 자꾸자꾸 앞으로 가겠지."

그러자 어린 왕자는 웃음을 거두고 진지하게 말했다.

"괜찮아. 내가 사는 곳은 아주 작으니까."

어린 왕자는 조금 서글픈 표정이 되어 덧붙여 말했다.

"앞으로 가 봐야 그렇게 멀리 갈 수도 없어……"

　이렇게 해서 나는 또 하나의 중요한 사실을 알게 되었다. 어린 왕자가 살던 별은 겨우 집 한 채보다 클까 말까 하다는 것이었다.

　그러나 나는 그리 놀라지 않았다. 왜냐하면 우주에는 지구·목성·화성·금성처럼 사람들이 이름을 붙여 놓은 큰 별들 이외에도, 너무 작아서 천체 망원경으로도 잘 보이지 않는 별이 수없이 많다는 사실을 알고 있었기 때문이었다.

　천문학자들은 그런 조그만 별을 하나 찾아내면 이름 대신 번호를 붙여 주었다. 헤아릴 수 없이 많은 별에게 일일이 이름을 붙여 주자면

한이 없기 때문이다. 가령 '소행성 제3251호' 라는 식으로 말이다.

나는 어린 왕자가 살던 별이 소행성 B-612호가 아닐까 하고 생각했다. 그 별은 1909년 터키의 어느 천문학자가 망원경으로 단 한 번 본 적이 있는 별이다.

이 천문학자는 국제천문학회에서 자신이 발견한 별을 멋들어지게 증명했지만 아무도 믿지 않았다. 그 이유는 그가 낡은 터키 옷을 입고 있었기 때문이었다.

어른들이란 늘 이런 식이다.

입고 있는 옷이 뭐 그리 중요하다고 진실까지 옷으로 판단한단 말인가!

그런데 소행성 B-612호의 명예를 회복할 수 있는 일이 생겼다. 터키의 한 독재자가 모든 국민에게 양복을 입으라고 명령을 내린 것이다. 게다가 양복을 입지 않는 사람은 사형에 처하겠다고 엄포를 놓았다.

그 천문학자는 1920년에 다시 국제천문학회에 참석했다. 이번에는 아주 멋있는 새 양복을 입고, 그 별에 대해 자신이 주장했던 것을 다시 증명해 보였다.

그러자 이번에는 회의에 참석한 모든 사람이 그의 의견을 받아들였다.

내가 소행성 B-612호에 대해 이렇게 자세히 이야기하면서까지 별의 번호를 말하게 된 것은 모두 어른들 때문이다.

어른들은 숫자를 아주 좋아한다.

만약 어른들에게 새로 사귄 친구 이야기를 하면 어른들은 진짜 중요한 것은 하나도 묻지 않는다.

"그 애의 목소리는 어떠니?"

"무슨 놀이를 좋아하지?"

"그 애도 나비를 수집하니?"

어른들은 절대로 이렇게 묻는 법이 없다.

"그 애는 몇 살이냐?"

"형제는 몇 명이니?"

"몸무게가 얼마냐?"

"그 애 아버지는 돈을 얼마나 버니?"

어른들은 기껏 이런 식의 질문을 할 뿐이다. 모두가 숫자에 관한 것들뿐이다. 어른들은 그래야만 그 친구에 대해 잘 아는 것으로 생각한다. 그런 것으로는 친구의 진짜 모습에 대해서 아무것도 알 수 없는데도 말이다.

만약 어른들에게, "창가에 제라늄 꽃이 핀 화분이 놓

여 있고, 지붕에는 비둘기가 살고 있는, 장밋빛 벽돌로 지은 예쁜 집을 보았어요."라고 말하면 어른들은 그 집이 어떤 집인지 몰라 고개를 갸우뚱할 것이다.

어른들에게는 차라리 이렇게 말하는 편이 낫다.

"100만 프랑짜리 집을 보았어요."

그제야 어른들은 그 집이 어떤 집인지 알 수 있다는 듯이, "그렇다면 굉장히 훌륭한 집이겠는걸." 하고 감탄한다.

"어린 왕자는 아주 멋있어요. 깔깔대고 웃는 웃음소리는 너무나 근사해요. 그리고 양을 가지고 싶어 했어요. 그것이 어린 왕자가 이 세상에 있다는 증거예요. 만약 누군가가 양을 갖고 싶어 한다면, 그것은 그 사람이 이 세상에 있었다는 증거가 되는 거예요."

어른들에게 이런 말을 하면 그들은 여러분을 금방 어린애 취급할 것이다.

그러나 "어린 왕자가 살던 별은 소행성 B-612호예요."라고 말하면 어른들은 고개를 끄덕이고 더 이상 귀찮은 질문은 하지 않을 것이다.

어른들이란 언제나 이런 식이다. 그렇다고 어른들을

나쁘게만 생각해서는 안 된다. 어린이들은 그런 어른들에게 아주 너그러워야 한다.

물론 인생을 이해하고 있는 사람들은 숫자 같은 건 대수롭지 않게 여긴다.

나는 이 이야기를 좀 더 새롭고 신비하게 쓰고 싶었다. 그래서 여러 가지 궁리 끝에 옛날이야기처럼 시작하기로 했다.

"옛날에 옛날에 저보다 좀 클까 말까 한 아주 작은 별에 어린 왕자가 살고 있었습니다. 어린 왕자는 그 별에서 혼자 살고 있었기 때문에 친구가 무척 그리웠습니다. 그래서……."

이렇게 이야기하는 것이 인생을 이해하는 사람들에게는 훨씬 더 진실한 느낌을 주었을 것이다. 왜냐하면 나는 사람들이 이 책을 가볍게 읽어 버리는 것을 원하지 않기 때문이다.

어린 왕자와의 추억을 이야기하려니까 슬픔이 먼저 밀려온다. 내 친구 어린 왕자가 양을 가지고 떠나간 지도 벌써 6년이나 되었다.

내가 이렇게 어린 왕자의 이야기를 하는 것은 그를 잊지 않기 위해서이다. 친구를 잊는다는 것은 무척 슬픈 일이다. 누구나 다 참된 친구를 갖는 것은 아니기 때문에 더욱 그렇다. 내가 만약 어린 왕자를 잊어버린다면 나도 이제는 숫자에만 관심을 갖는 어른이 되고 말 것이다.

내가 그림물감과 연필을 산 것도 바로 이런 이유 때문이다. 여섯 살 때 속이 들여다보이는 보아 뱀과 속이 보이지 않는 보아 뱀의 그림을 그린 이후, 아직까지 그림이라고는 그려 본 적이 없는 내가, 지금 다시 그림을 그린다는 것은 너무나 어려운 일이다.

물론 나는 어린 왕자의 원래 모습에 가깝게 그리려고 노력하겠지만 그림이 잘 그려질지는 자신할 수 없다. 내가 그림을 괜찮게 그릴 수도 있겠지만 못 그릴 수도 있다. 또 여러 장 그렸을 때 모양이 다 다를지도 모른다. 어린 왕자의 키가 좀 클 수도 있고 작을 수도 있다. 옷 색깔 역시 여러 가지로 다를 수 있다. 물론 옷 모양도 다를 수 있다.

이렇게 저렇게 더듬거리다 보면 중요한 부분을 잘못

그릴 수도 있다. 눈이 찌그러질 수도 있고, 입이나 귀가 실제보다 크게 그려질 수도 있다.

내가 그림을 못 그리더라도 여러분이 너그럽게 이해해 주길 바란다.

내 친구인 어린 왕자는 자기 자신에 대해 자세히 설명해 주지 않았다. 그것은 내가 자기와 같은 줄 알았기 때문일 것이다. 그러나 내가 어린 왕자와 다른 점이 있다면 그것은 내가 어린아이가 아니라는 사실이다.

불행히도 나는 상자 속에 들어 있는 양을 제대로 꿰뚫어 볼 수가 없었다. 어쩌면 나는 어른들과 더 닮았는지도 모르겠다.

아마 나도 늙었나 보다.

★05

　나는 어린 왕자와 함께 사막에서 지내는 동안 그 아이에 대한 것을 매일 조금씩 알게 되었다. 그가 떠나온 별이 어떤 별인지, 왜 그곳을 떠나 여행을 하게 되었는지에 대해서도 우연히 알 수 있었다.

　그것은 어디까지나 나 혼자만의 힘이었다. 어린 왕자는 한 번도 자기 자신에 대해 내게 말해 준 적이 없었기 때문이다.

　나는 어린 왕자가 하는 말들을 곰곰이 생각하고 그 뜻을 이해하면서 천천히 그에게 다가갈 수 있었다.

　사막에서 어린 왕자를 만난 지 사흘째 되던 날, 나는 또 새로운 사실을 알게 되었다.

　열대에서 자라는 바오바브나무에 관해서이다. 이 바오바브나무의 비극을 알게 된 것도 사실은 양의 덕택이었다. 어린 왕자는 갑자기 의심스러운 표정으로 나한테 물었다.

"양이 작은 나무를 먹는다는 게 정말이야?"

"그럼, 정말이지."

"야, 참 잘됐다!"

나는 양이 작은 나무를 먹는다는 사실이 어린 왕자에게 왜 그다지도 중요한 것인지 이해할 수 없었다. 내가 궁금해하는 것과는 상관없이 어린 왕자는 계속해서 물었다.

"그러니까 바오바브나무도 먹지?"

나는 바오바브나무가 작은 나무가 아니라는 사실을 알고 있었다. 그래서 어린 왕자에게 이렇게 말했다.

"바오바브나무는 작은 나무가 아니야. 교회당만큼 큰 나무지. 그래서 코끼리 떼들이 먹는다 해도 바오바브나무 한 그루를 다 먹을 수는 없을걸."

"하하하, 정말 우습다. 코끼리 떼를 내 별에 데려간다면 모두 포개 놓아야 할 거야."

코끼리 떼라는 말에 어린 왕자가 재미있다는 듯이 웃으면서 말했다. 그러고 나서 어린 왕자는 이렇게 영리한 말을 하는 것이었다.

"큰 바오바브나무도 어릴 때는 아주 조그만 싹으로

돌아나지."

"그건 그래. 하지만 넌 왜 바오바브나무를 양에게 먹이려고 하는 거지?"

"아이참, 그걸 몰라서 묻는 거야?"

어린 왕자는 그런 질문을 하는 내가 답답하다는 듯이 얼굴을 돌렸다. 그래서 나는 혼자서 끙끙대며 그 수수께끼를 풀어야만 했다.

어린 왕자가 살던 별에도 다른 별과 마찬가지로 좋은 풀과 나쁜 풀이 있었다. 그러니까 좋은 풀의 좋은 씨앗과 나쁜 풀의 나쁜 씨앗이 함께 자라고 있었던 것이다.

그러나 씨앗은 눈에 보이지 않는다. 땅속 어딘가에서 몰래 잠자고 있다가, 그중 하나가 어느 날 문득 깨어날 생각을 하게 된다.

그러면 우선 기지개를 켜고, 아무 힘도 없는 예쁘고 조그만 싹을 해를 향해 조금씩 내민다. 그것이 무나 장미의 싹이라면 마음대로 자라게 그냥 내버려 둘 수도 있다. 그러나 그것이 나쁜 풀일 때는 눈에 띄는 대로 뽑아 버려야 한다.

그런데 어린 왕자의 별에는 무서운 씨앗이 하나 있었다. 그것이 바로 바오바브나무의 씨앗이었다. 땅속 여기저기에 바오바브나무의 씨앗이 숨어 있었다.

바오바브나무는 자칫 조금만 늦게 손을 대면 무성하게 자라서 영 없앨 수가 없게 된다. 그 나무는 별 전체를 온통 뒤덮고 나서도 계속해서 뿌리를 뻗어 별에 구멍을 뚫어 버리고 말 것이다.

바깥에서 어린 왕자의 별을 보면 바오바브나무가 온통 감싸고 있는 것처럼 보일 것이다. 어린 왕자가 사는 별은 그토록 작은 별이기 때문에 바오바브나무가 너무 많으면 별이 조각조각 갈라지고 말지도 모른다.

어린 왕자는 나중에 이런 말을 했다.

"그것은 하나의 규칙이야. 아침에 일어나서 몸단장을 하고 나면 정성껏 다듬어 줘야 해. 하지만 이때 주의할 것이 있어. 바오바브나무가 조그마할 때는 장미와 비슷해서 함부로 뽑아 버릴 수가 없어. 그래서 어느 정도 자라서 장미와 바오바브나무를 구별할 수 있게 되면 얼른 뽑아 버려야 해. 그것은 성가신 일이긴 해도 힘든 일은 아니야."

어느 날, 어린 왕자는 지구의 어린이들이 자기가 말하고자 하는 사실을 잘 이해할 수 있도록 그림을 하나 그려 보라고 했다.

"아저씨가 사는 별나라 아이들이 여행을 하게 되면, 그 그림이 도움을 줄 수 있을 거야."

그러면서 아이는 이렇게 덧붙였다.

"하기 싫은 일 중에는 미루어도 되는 일이 있지만, 바오바브나무의 경우에는 그대로 두면 큰일을 당하게 되지. 난 게으름뱅이가 사는 별을 하나 알고 있는데, 그 사람은 바오바브나무를 세 그루나 그냥 내버려 두었다가……."

그래서 나는 어린 왕자가 말하고자 하는 사실을 알려 주기 위해 게으름뱅이가 사는 별의 그림을 그렸다.

나는 결코 남을 가르치는 사람이 아니다. 남을 가르친다는 것은 아무나 할 수 있는 일이 아니기 때문이다.

하지만 이것만큼은 꼭 알려 주고 싶다. 왜냐하면 바오바브나무가 얼마나 위험한지 사람들은 잘 모르고 있고, 또 길을 잃어 바오바브나무가 무성하게 자란 곳에 가게 되면 너무나 위험하기 때문이다.

혹시 소행성을 여행하게 되는 친구들이 있다면 이렇게 말하고 싶다.

"모두 바오바브나무를 조심하세요!"

나는 바오바브나무가 얼마나 위험한지 오랫동안 몰랐던 나 같은 사람들을 위해 이 그림을 정말 정성껏 그렸다. 여러분은 이렇게 생각할 것이다.

'이 책에서는 이 그림이 가장 잘 그려진 것 같아.'

여기에 대한 대답은 아주 간단하다.

나는 다른 그림들도 열심히 그렸다. 하지만 다른 그림보다 이 그림을 그릴 때 더 많은 노력을 기울였다. 그 이유는 아마 바오바브나무에게서 느꼈던 위험이 나도 모르는 사이에 이 그림을 더 열심히 그리게 했기 때문일 것이다.

아, 어린 왕자……. 그렇게 조금씩 조금씩 나는 어린 왕자의 쓸쓸하고 단조로운 생활을 알게 되었다. 아주 오랫동안 어린 왕자의 유일한 위안이 된 것은 해가 지는 고요한 풍경을 바라보는 것이었다. 그것은 어린 왕자를 만난 지 나흘째 되던 날 아침, 어린 왕자가 이렇게 말할 때 알게 되었다.

"나는 해 지는 풍경이 좋아. 해 지는 거 보러 가."

"그래, 하지만 기다려야만 해."

"기다리다니, 뭘 기다린다는 거지?"

"해가 질 때까지 기다려야 한다는 말이야."

어린 왕자는 처음에는 몹시 이상해하는 눈치더니 곧 웃음을 지으며 말했다.

"아, 그렇지! 나는 아직도 내가 내 별에 있는 줄만 알았지 뭐야."

누구나 알고 있듯이, 미국이 정오일 때 프랑스에서는

해가 진다. 한낮에 미국에 있는데 지금 당장 해가 지는 걸 보고 싶다면 1분 안에 프랑스로 가면 된다. 불행하게 도 프랑스가 미국에서 너무나 멀리 떨어져 있기는 하지 만……

그런데 어린 왕자가 살던 별은 아주 작아서 의자를 조금 옮겨 놓기만 하면 되었다. 그래서 원하기만 하면 언제든지 해가 지는 것을 계속 볼 수 있었던 것이다.

"어느 날엔가 나는 해가 지는 것을 마흔세 번이나 보 았어."

그리고 잠시 후에 어린 왕자는 다시 말했다.

"아저씨……, 아저씨가 정말로 쓸쓸한 마음이 들 때 면 해 지는 것을 좋아하게 될 거야."

"그럼 마흔세 번이나 해가 지는 풍경을 보던 날, 네가 그렇게도 쓸쓸했다는 거니?"

그러자 어린 왕자는 아무 대답도 하지 않았다.

★ 07

    닷새째 되던 날, 나는 어린 왕자에 대해 또 한 가지 비밀을 알게 되었다. 그것 역시 양 때문이었다.

    어린 왕자는 오랫동안 무엇인가를 속으로 깊이 생각하고 있다가 느닷없이 내게 이렇게 물었다.

    "양 말이야, 작은 나무를 먹으니까 꽃도 먹겠지?"

"양은 닥치는 대로 무엇이든지 다 먹는단다."

"가시 돋친 꽃도 먹어?"

"물론이지. 가시가 돋친 꽃도 먹고말고."

"그럼 가시는 아무 쓸모가 없잖아."

사실은 나도 잘 몰랐다.

그때 나는 온 힘을 다해 비행기의 기관에 꼭 죄여진 나사를 돌리느라고 다른 데 정신을 팔 겨를이 없었던 것이다. 나에게는 비행기 수리가 가장 심각한 당면 과제였다. 게다가 마실 물도 떨어져 갔으므로 걱정이 태산 같았다.

"그렇다면 꽃에 가시는 왜 있는 거야?"

어린 왕자는 한번 질문을 하면 답을 들을 때까지 물었다. 그 버릇은 그때도 여전했다.

나는 비행기 나사를 돌리느라고 진땀을 빼고 있던 터라 되는대로 대답했다.

"가시는 아무 쓸모가 없어. 꽃이 괜히 심술을 부릴 때 가시를 세우는 것뿐이야."

"그래?"

어린 왕자는 잠자코 있다가 이내 울먹이면서 내게 쏘

아 됐다.

"난 아저씨 말을 믿지 않아. 꽃은 약하고 순진하단 말이야. 그래서 꽃은 자기 자신을 지키기 위해 가시로 겁을 주려는 거야. 가시가 있으니까 자기를 아주 무서워할 거라고 생각하는 거지."

나는 아무 대답도 하지 않았다. 내 머릿속에는 나사에 대한 생각만 꽉 차 있었다.

'이놈의 나사가 계속 말을 듣지 않으면 망치로 두들겨 깨 버려야지……'

하지만 이런 생각은 오래 할 수 없었다. 어린 왕자가 나에게 다시 말을 걸어 왔던 것이다.

"아저씨는 정말 그렇게 생각하고 있어?"

어린 왕자가 계속 이렇게 물어 오자 나는 집중을 할 수가 없었다. 그래서 소리를 쳤다.

"아니, 아니! 난 아무 생각 없이 되는대로 말한 거야. 난 지금 그보다 더 중요한 일을 하고 있으니까 자꾸 말 시키지 마."

어린 왕자는 어이가 없다는 듯이 나를 쳐다보았다.

"중요한 일이라니?"

어린 왕자가 나를 바라보며 물었다. 그때 나는 온통 기름투성이가 된 시커먼 손에 망치를 들고 어린 왕자가 흉측하게 여기는 물건 위에 몸을 굽히고 있었다.

"아저씨도 다른 어른들처럼 말하는군."

그 말을 듣는 순간, 나는 부끄러워 얼굴이 화끈 달아올랐다.

"아저씨는 모든 것을 혼동하고 있어. 세상을 온통 뒤죽박죽으로 만든단 말이야!"

어린 왕자는 잔뜩 화가 나서 사정없이 말했다. 쉽게 풀릴 것 같지 않았다. 아이의 눈부신 금빛 머리가 바람에 휘날렸다.

"내가 아는 별 중에 얼굴이 빨간 신사가 사는 별이 있어. 그 신사는 한 번도 꽃향기를 맡아 본 적이 없어. 물론 누구를 사랑해 본 적도 없지. 그가 하는 일이란 덧셈뿐이야. 그러면서 그는 하루 종일, 아저씨처럼 '난 중요한 일을 하고 있다. 난 중요한 일을 하는 사람이다.' 라고 중얼거리며 항상 잘난 체를 하고 있지. 그렇지만 그는 사람이 아니라 버섯이었어."

나는 어린 왕자의 마지막 말에 깜짝 놀랐다.

"뭐였다고?"

"버섯이었다고."

어린 왕자는 화가 나서 얼굴이 하얗게 변해 있었다.

"꽃들은 수백만 년 전부터 가시를 키우고 있었어. 그리고 양들이 꽃을 먹는 것도 수백만 년 전부터였어. 그런데도 왜 꽃들이 쓸모없는 가시를 애써 만들었는지 그 이유를 알아보려고 하는 게 중요한 일이 아니란 말이야? 아저씨는 꽃들과 양들 사이의 그 긴 싸움이 중요하지 않다고 생각하는 거야? 가시 있는 꽃이 양한테 먹히는 게 얼굴이 빨간 신사가 매일매일 하는 덧셈보다도 중요한 일이 아니란 말이야?"

어린 왕자는 곧 울음을 터뜨릴 것처럼 울먹이면서 말했다.

"내가 사는 별에는 다른 어느 별에도 없는 소중한 꽃이 있어. 어느 날 양이 그 꽃을 먹어 버릴지도 모르는데 아저씨는 그 일이 중요한 일이 아니란 말이야?"

어린 왕자는 얼굴을 붉히며 계속해서 말했다.

"이 세상에 단 하나밖에 없는 꽃을 양이 먹어 버린다는 것이 중요하지 않다는 거야?"

어린 왕자는 잠깐 한숨을 쉬고는 말했다.

"누군가가 수천만 개의 별 중에서, 그 별 어딘가에 피어 있는 한 송이 꽃을 좋아한다면, 그 사람은 별들을 바라보는 것만으로도 행복해질 수 있는 거야. '저 별들 중 어딘가에 내 꽃이 있겠지.'라고 생각하면서 말이야. 그런데 양이 그 꽃을 먹어 봐. 그건 그에겐 모든 별들이 갑자기 빛을 잃는 것이나 마찬가지야. 그런데도 그게 중요한 일이 아니라는 거야?"

어린 왕자는 더 이상 말을 잇지 못하고 그만 흐느끼고 말았다.

어느새 해가 지고 어두워지기 시작했다. 나는 비행기를 고치느라고 손에 들고 있던 연장들을 떨어뜨렸다. 그 순간 망치나 나사 따위는 아무것도 아니었다. 그리고 목마름이나 사막 한가운데에서 죽을지도 모른다는 생각조차도 우습게 여겨졌다. 지금까지 내가 중요하다고 생각했던 일들이 하나도 중요하지 않아 보였다.

어떤 별, 내 별, 즉 지구 위에는 내가 위로해 주어야 할 어린 왕자가 있었다. 어느새 어린 왕자는 내 마음속 깊이 자리를 잡고 있었던 것이다.

나는 어린 왕자를 품에 꼭 안고 말해 주었다.

"울지 마. 네가 좋아하는 꽃은 별일 없을 거야. 내가 양이 꽃을 먹지 못하도록 굴레를 그려 줄게. 그리고 꽃을 위해 단단한 울타리를 그려 줄게. 나는……."

나는 더 이상 무슨 말로 위로를 해야 할지 몰랐다. 내가 무척 서투르다는 느낌이 들었다.

어떻게 하면 어린 왕자의 슬픔을 달랠 수 있는지, 그리고 어떻게 해야 그의 마음과 내 마음이 서로 통할 수 있는지 알 수 없었다. 눈물의 나라는 그다지도 신비하고 이상한 것이었다.

08

얼마 후, 나는 어린 왕자의 꽃에 대해 자세히 알게 되었다. 어린 왕자의 별에는 전부터 꽃잎이 한 겹만 있는 아주 소박한 꽃들이 있었다. 그 꽃들은 자리를 많이 차지하지도 않았고, 누구를 귀찮게 하지도 않았다. 그 꽃들은 어느 날 아침 풀숲에서 피어났다가 저녁이 되면 살며시 지곤 했다.

그러던 어느 날, 어디서 날아왔는지 알 수 없는 씨앗 하나에서 싹이 텄다. 어린 왕자는 그 싹이 자라는 것을 지켜보았다.

어린 왕자는 긴장했다. 그 씨앗이 새로운 종류의 바오바브나무 씨앗일지도 몰랐기 때문이다. 그러나 어린 나무는 조금 자란 후에 더 이상 자라지 않고 탐스러운 꽃봉오리를 맺었다.

어린 왕자로서는 처음 경험하는 일이라 마냥 그것이 신비롭기만 했다. 커다란 꽃봉오리가 맺히는 걸 본 어

린 왕자는 그 작은 나무에서 기적이 일어날 것 같다는
생각마저 하게 되었다.

　하지만 그 나무에서 새롭게 피어날 꽃은 초록빛 방에
숨어 정성을 다해 빛깔을 고르고, 꽃잎을 하나하나 다
듬고 치장하느라 정신이 없었다. 개양귀비처럼 쭈글쭈
글 구겨진 모습으로 나오고 싶지 않아 몸단장을 하고 있
었던 것이다. 자신의 모습이 가장 아름답다고 여겨질
때 나오려고 말이다.

그 꽃은 멋을 알 뿐만 아니라 관심을 끄는 묘한 매력도 갖고 있었다. 그래서 꽃을 피우기까지는 꽤 시간이 필요했다.

오랫동안 치장하고 있던 그 꽃이, 어느 날 해가 뜰 무렵, 마침내 자태를 드러내며 한 말은 이것이었다.

"아함, 졸려! 어떡하지, 아직 꽃잎을 다 손질하지 못했는데……."

어린 왕자는 그 꽃을 보고 너무나 감탄해서 이렇게 말했다.

"정말 아름답군요!"

"그래요. 게다가 나는 해님과 함께 태어났지요."

어린 왕자는 꽃이 그다지 겸손하지 않다는 것을 깨달았다. 하지만 그 꽃은 혼자 흥분해 있었다.

"아침 식사 시간인 것 같군요. 당신이 친절한 사람이라면 나에게 배려를 해야 하지 않을까요?"

꽃의 말에 어린 왕자는 잠시 어리둥절했다. 하지만 곧 무슨 뜻인지 알아차리고 물뿌리개로 꽃에게 물을 주었다.

이제부터 허영심과 자만심으로 가득 찬 그 꽃이 어린

왕자를 얼마나 괴롭혔는지를 알게 될 것이다.

어느 날, 그 꽃은 어린 왕자에게 이렇게 말했다.

"무서운 발톱을 가진 호랑이가 덤벼도 나는 끄떡없답니다."

"하지만 내 별에는 호랑이가 없어요. 더구나 호랑이는 풀을 먹지 않아요."

그러자 꽃이 뽀로통하게 말했다.

"나는 풀이 아니에요."

"미, 미안해요."

어린 왕자는 자기가 꽃의 기분을 상하게 했다는 것을 깨닫고는 정중히 사과했다.

그러자 꽃은 이렇게 말했다.

"나는 호랑이는 무섭지 않아요. 하지 만 바람이 세차게 불어오는 건 딱 질색이에요. 혹시 바람막 이를 갖고 계시나요?"

'바람 부는 게 질색이 라고? 바람을 견디기 어렵다면 풀치고는 꽤 운이 없군……'

어린 왕자는 꽤 까다로운 꽃이라고 생각했다.

꽃은 이번에는 한술 더 떠서 한층 어려운 부탁을 해 왔다.

"밤이 되면 유리 덮개를 씌워 주세요. 몹시 춥군요. 기후가 나쁜 모양이에요. 내가 살던 곳은……."

그러다가 꽃은 말을 멈추었다.

그 꽃은 왕자의 별에 씨앗으로 왔기 때문에 다른 세상에 대해서는 아무것도 알지 못했던 것이다. 즉, 꽃은 거짓말을 하려고 했던 것이다.

꽃이 어린 왕자의 별 말고는 다른 세상을 본 적이 없다는 사실을 어린 왕자는 알고 있었다.

꽃은 거짓말을 하려다 들킨 게 부끄러워 두세 번 기침을 했다. 감기에 걸린 것처럼 보이기 위해서 말이다.

"바람막이는 어떻게 됐지요?"

"가지러 가려던 참인데 네가 계속 말을 걸었잖아!"

그러자 꽃은 어린 왕자가 미안한 마음을 갖도록 더욱 심하게 기침을 하는 척했다.

어린 왕자는 선한 마음으로 꽃을 좋아했지만 조금씩 시간이 지나면서 꽃을 믿지 못하게 되었다.

어린 왕자의 이런 마음은 점점 커져 갔다. 대수롭지 않게 내뱉는 꽃의 말이 괜히 기분 나쁘고 심각하게 들렸다. 꽃이 무슨 말을 하든 좋게 생각되지 않았던 것이다.

어느 날, 어린 왕자는 심각한 표정으로 내게 말했다. 속마음을 그대로 털어놓은 것이다.

"나는 꽃이 하는 말을 귀담아듣지 말았어야 했어. 좋을 것이 하나도 없었으니까. 꽃은 그저 바라보고 향기를 맡는 것만으로 만족했어야 하는 건데……. 사실 그 꽃은 향기가 무척 좋았어. 그래서 내 별을 향기롭게 해 주었지. 그런데 나는 그 향기를 즐길 수가 없었어. 꽃이 발톱 이야기를 할 때 난 무척 기분이 나빴거든. 꽃의 이야기를 언짢게만 생각하지 말고 가엾게 생각했어야 하는 건데……."

또 이런 이야기도 했다.

"나는 그때 아무것도 몰랐어. 꽃이 하는 말로 그 꽃을 판단할 것이 아니라 꽃의 행동을 보고 판단했어야 하는 건데……."

어린 왕자는 못내 아쉬운 듯했다.

"그 꽃은 내게 향기를 주었고, 내 마음을 환하게 해 주었지. 나는 무슨 일이 있어도 꽃으로부터 달아나지 말았어야 했어. 내게 투정을 부린 것은 나를 좋아하기 때문이라는 걸 깨달았어야 했는데……."

후회하는 마음과 미안한 마음으로 가득 찬 말투였다.

"꽃들은 마음을 열어 놓지 않거든. 얕은꾀 뒤에 사랑이 숨어 있다는 걸 눈치 챘어야 했는데 그랬어. 그런데 그때 나는 너무 어렸기 때문에 꽃을 사랑할 줄 몰랐던 거야."

어린 왕자의 눈에 눈물이 고이기 시작했다.

09

나는 어린 왕자와 지내는 동안 여러 가지 상상을 하
게 되었다. 우선 그 아이가 어떤 방법으로 자신의 별에
서 떠나왔는지 생각해 보았다.

혹시 우주선을 이용하지 않았을까도 생각해 보았지
만, 그건 아닌 게 확실했다. 비행기도 모르는 어린 왕자

가 우주선을 알 리 없었으니까 말이다.

그래서 나는 어린 왕자가 철새들이 이동할 때 철새의 등을 타고 자기가 사는 별을 떠난 것이라고 생각했다.

그건 얼마든지 가능한 상상이었다.

별을 떠나오던 날 아침, 어린 왕자는 자기 별을 말끔히 청소했다. 별이 그리 크지 않았으므로 별을 청소하는 시간도 그리 오래 걸리지 않았다.

먼저 어린 왕자는 활활 불을 뿜는 화산부터 정성스럽게 청소했다.

어린 왕자가 사는 별에는 두 개의 화산이 있었다. 불을 뿜는 화산은 아주 유용하게 사용되었다. 가령 아침 식사를 준비할 때 물을 끓이거나 음식을 따뜻하게 데울 수 있었다.

그의 별에는 잠자는 화산도 하나 있었는데 그것도 잘 청소해 놓았다. 지금은 불을 뿜지 않고 있지만 언제 폭발할지 모르기 때문이었다.

화산은 청소를 잘해 주기만 하면 폭발하지 않는다. 규칙적으로 조용하게 연기를 토해 낼 뿐이다. 화산의

폭발은 마치 벽난로 굴뚝의 불길과 같은 것이다.

물론 지구에 살고 있는 우리는 화산에 비해 인간이 너무도 작아서 화산을 청소해 줄 수는 없다. 그래서 화산 폭발 때문에 곤란한 일을 많이 겪게 되는 것이다.

어린 왕자는 마음 한구석에서 번져 오는 쓸쓸함을 추스르며 마지막으로 막 돋아난 바오바브나무의 싹을 모두 뽑아 주었다. 다시는 돌아오지 못할 거라고 생각했던 것이다.

그런데 참 이상했다. 늘 해 오던 이런 일들이 그날 아침에는 유난스럽게도 더 정겹게 느껴졌다.

어린 왕자는 할 일을 어느 정도 마쳤다.

끝으로 어린 왕자는 꽃에게 물을 주고 유리 덮개를 씌워 주려고 했다. 그런데 그 순간 어린 왕자는 그만 울음이 터져 나오고 말았다.

"안녕, 잘 있어!"

어린 왕자는 꽃에게 작별 인사를 했다.

그러나 꽃은 아무 대꾸도 하지 않았다.

"잘 있어!"

어린 왕자는 목이 메어 다시 한 번 말했다.

꽃은 건성으로 콜록콜록 기침을 했다. 하지만 그건 감기 때문이 아니었다.

"나는 참 바보였어요."

꽃은 조심스럽게 입을 열었다. 꽃으로서는 어렵게 하는 말이었다.

"그동안 심술궂게 굴었던 것, 정말 미안해요. 용서해 주세요. 그리고 부디 행복하세요."

어린 왕자는 꽃이 심술을 부리지 않고 갑자기 다정스러워진 까닭을 알 수 없었다. 그래서 유리 덮개를 손에 든 채 어쩔 줄 모르고 우두커니 서 있었다.

"난 당신을 사랑했어요."

꽃이 뜻밖의 이야기를 했다.

"내가 당신을 사랑하고 있다는 걸 당신은 알아차리지 못했던 거예요. 그건 다 내 잘못이에요. 하지만 당신도 나만큼이나 바보였어요. 부디 행복하세요……."

말을 마친 꽃은 기운이 빠져 금방이라도 쓰러질 것 같았다.

"이제 유리 덮개는 필요 없어요."

"하지만 바람이 불어오면……."

어린 왕자는 걱정이 되어 꽃에서 시선을 뗄 수가 없었다.

"난 그다지 감기가 심하지 않아요. 오히려 서늘한 바람이 내 기분을 좋게 해 줄 거예요. 난 꽃이니까요."

"하지만 벌레들이……."

"예쁜 나비를 맞이하려면 두세 마리의 애벌레쯤은 견뎌야겠지요. 나비는 참 예쁜 모양이던데……. 나비가 아니라면 누가 나를 찾아와 주겠어요? 당신은 멀리 가 버릴 텐데……."

꽃의 목소리가 가늘게 떨렸다.

"호랑이처럼 큰 짐승이 와도 나는 무섭지 않아요. 내겐 가시가 있으니까요."

그러면서 꽃은 천진스럽게 자기의 가시 네 개를 보여주었다. 어린 왕자와 헤어지는 게 아무렇지 않다는 듯 애쓰는 모습이 가여웠다.

그러고는 서로 아무 말도 못했다. 잠시 후, 꽃이 재촉하듯이 큰 소리로 말했다.

"아이, 속상해. 여기서 괜히 우물쭈물하지 마요. 떠나기로 마음먹었으니 어서 가세요."

꽃은 자기가 우는 모습을 어린 왕자에게 보이고 싶지 않았던 것이다. 그렇게 자존심이 강한 꽃이었다.

10

어린 왕자가 사는 별 가까이에 소행성 325, 326, 327, 328, 329, 그리고 330이 빛나고 있었다.

주변에 이렇게 많은 소행성이 있었기 때문에 어린 왕자가 일자리를 구하는 것은 어렵지 않았다. 꼭 일자리를 구하지 않더라도 무언가를 배울 수만 있으면 그것으로 만족할 수 있었다. 그래서 어린 왕자는 여러 가지를 배우기 위해 그 별들을 방문하기로 했다.

첫 번째로 찾아간 별에는 왕이 살고 있었다.

왕은 붉은 천과 하얀 수달 털가죽으로 만든 옷을 입고 있었다. 왕좌는 소박했지만 무척 위엄 있어 보였다. 높다란 왕좌 위에 앉아 있는 왕은 훨씬 더 위엄 있게 보였다.

왕은 어린 왕자를 보자 반갑게 맞이하며 큰 소리로 말했다.

"오호, 신하가 한 명 왔구나!"

'한 번도 만난 적이 없는데 어떻게 나를 아는 걸까?'

어린 왕자는 이상하게 생각했다.

그러나 어린 왕자는 왕들이 세상을 아주 간단하게 본다는 사실을 알지 못했다. 왕에겐 이 세상 모든 사람이 모두 자신의 신하였다.

"내가 더 잘 볼 수 있도록 이리 가까이 오라!"

왕은 왕 노릇 하는 것이 무척 자랑스러운 듯 어깨를 쭉 펴며 명령했다.

어린 왕자는 왕의 명령대로 가까이 갔지만, 별 전체가 온통 화려한 수달 털가죽 망토로 덮여 있고, 의자 같은 건 보이지 않았다. 어린 왕자는 앉을 자리가 없어서 줄곧 서 있었다.

그랬더니 몹시 피곤해서 저절로 하품이 나왔다. 그 모습을 보자 왕은 놀라서 말했다.

"왕 앞에서 하품을 하다니, 예의에 어긋나는 일이로다. 짐은 그대에게 하품하는 것을 금하노라."

갑작스러운 명령에 어린 왕자는 어리둥절했다.

"하품을 안 할 수가 없어요. 오랫동안 여행을 하느라 잠을 못 자서 그만……."

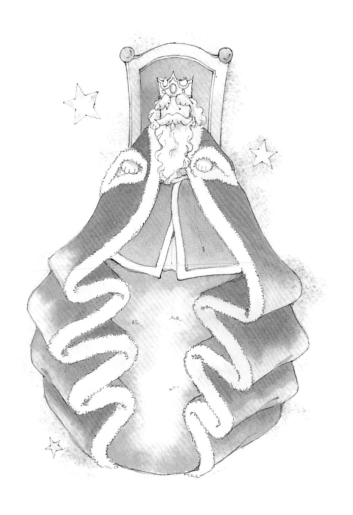

어린 왕자는 사뭇 당황해서 이렇게 말했다.

"그렇다면 하품을 하라고 명하노라. 짐은 몇 해 전부터 하품하는 사람을 본 적이 없었느니라. 자, 또 하품을 하라. 명령이니라!"

"하지만 겁이 나서 하품이 잘 나오지 않는걸요. 더는 하품을 할 수가 없어요."

어린 왕자는 얼굴이 빨개져서 대답했다.

"그렇다면 짐이 다시 명하노니, 때론 하품을 하고 때로는……, 흠흠."

왕은 빨리빨리 몇 마디를 더 중얼거렸지만 약간 기분이 언짢아 보였다.

왕은 원래 권위를 중요하게 여긴다. 그래서 자기가 내린 명령에 복종하지 않는 사람을 용서하지 못한다. 어디까지나 자신들이 이 세상의 모든 권한을 가진 사람이라고 생각하기 때문이다.

다행히 그 왕은 마음씨가 착했기 때문에 이치에 맞는 명령을 내렸다.

"만약에 짐이 어떤 장군에게 물새로 변하라고 명령했는데 장군이 명령에 복종하지 않는다면 그것은 장군의 잘못이 아니다. 그것은 복종할 수 없는 명령을 내린 나의 잘못이다."

착한 왕은 이렇게 말했다.

어린 왕자는 조심스럽게 왕에게 물었다.

"앉아도 될까요?"

"짐은 그대에게 앉기를 명하노라."

왕은 이렇게 말하면서 수달 털가죽 망토 자락을 위엄 있게 걷어올렸다.

문득 어린 왕자는 이렇게 작은 별에서 왕이 무엇을 다스리는지 궁금했다.

"전하, 제가 한 가지 여쭈어 볼 것이 있는데요."

어린 왕자의 말에 왕은 주위를 한번 둘러본 다음 입을 열었다.

"짐은 네게 질문을 하도록 허락하노라."

"전하는 이곳에서 무엇을 다스리고 있나요?"

"모든 것을 다스리노라."

왕은 아주 간단하게 대답했다.

"모든 것을 다스린다고요?"

어린 왕자는 깜짝 놀라는 표정을 지었다.

　왕은 손을 들어 수많은 별을 가리켰다. 자기가 사는 별과 다른 별들, 그리고 떠돌이 별들을 하나씩 조심스럽게 가리켰다.

　"그럼 저 많은 별을 모두 다스린단 말이에요?"

　"물론, 이 모든 별을 다 다스리지."

　왕이 대답했다. 그는 자기 별뿐만 아니라 우주 전체를 다스리는 우주의 군주였던 것이다.

　"저 별들이 모두 전하의 명령에 복종하나요?"

　"물론, 그렇고말고. 짐의 명령에 복종하지 않는 별은 하나도 없도다. 짐은 명령을 거역하는 것은 절대 용서하지 않느니라. 그 어떤 별도 짐의 명령을 거역하지는 못하노라."

왕은 위엄을 갖추며 말했다. 어린 왕자는 왕이 지닌 큰 위력에 감탄했다. 부러움도 생겼다.

'나에게도 이런 권력이 있다면 의자를 뒤로 옮겨 놓을 필요 없이 해 지는 풍경을 하루에 마흔네 번뿐만 아니라 일흔두 번이나 백 번, 아니 이백 번이라도 볼 수 있을 텐데!'

이런 생각이 들자 어린 왕자는 두고 온 작은 별이 그리워져 용기를 내어 왕에게 부탁했다.

"전하, 한 가지 소원이 있어요."

"말해 보아라."

"제 소원을 꼭 들어주세요."

어린 왕자가 머뭇거리며 말을 꺼내지 못하자 왕이 오히려 말을 시켰다.

"도대체 무슨 일인데 그러느냐? 짐은 우주의 지배자이므로 못 할 일이 없노라. 그러니 마음 놓고 네가 원하는 것을 말해 보아라."

그제야 어린 왕자는 조심스럽게 입을 떼었다.

"저는 지금 해가 지는 걸 보고 싶어요. 어서 해가 지도록 명령해 주세요."

왕은 난처한 표정을 지으며 말했다.

"만약에 짐이 어느 장군에게 나비처럼 이 꽃 저 꽃으로 날아다니라고 명령하거나, 혹은 희곡을 한 편 쓰라거나, 물새로 변하라고 명령했을 때 그 장군이 명령을 이행하지 못했다면, 그건 장군과 짐 둘 중에 누구의 잘못이겠느냐?"

"당연히 전하의 잘못이지요."

어린 왕자는 당돌하게 대답했다.

"옳도다. 누구에게든 그가 할 수 있는 것을 요구해야만 하느니라. 불가능한 명령을 내려서는 안 되느니라. 권위를 가지려면 무엇이든지 이치에 맞는 명령을 해야만 하는 것이니라."

왕의 말에 어린 왕자는 고개를 끄덕였다. 그 별의 왕은 현명한 사람이었던 것이다.

"짐이 만약에 백성에게 모두 바다에 빠지라고 명령한다면 그들은 반란을 일으킬 것이다. 짐이 백성에게 복종을 요구할 권리를 가지고 있는 것은 짐이 이치에 맞는 명령을 내리기 때문이니라."

"그렇다면 제 소원은 들어줄 수 없나요?"

한 번 물어본 것은 잊어버리는 일이 없는 어린 왕자
가 다시 물었다.

"네 부탁을 들어주겠노라. 너에게 해 지는 모습을 보
여 주겠노라. 짐이 명령을 하겠노라. 하지만 해가 짐
의 명령에 복종하려면 조건이 마련되어야 한다. 그때
까지 기다리도록 하라. 흠흠."

왕은 헛기침을 하면서 주춤거렸다.

어린 왕자는 마음이 조급해졌다.

"언제쯤 해가 전하의 명령에 복종하게 될까요?"

어린 왕자가 다시 물었다.

"에헴! 에헴!"

왕은 우선 커다란 달력을 들춰 보았다. 그러고 나서
거드름을 피우며 말했다.

"흠, 흠, 흠……. 그러니까 오늘 저녁 7시 40분쯤에
짐의 명령이 이루어지게 되리라. 짐의 명령이 얼마나
잘 이루어지는지 그때 보도록 하라."

어린 왕자는 아무리 기다려도 해가 지지 않자 심심해
하품이 나왔다. 해가 지는 것을 보지 못하는 것이 아쉽

고 서운했다.

어린 왕자는 서서히 싫증이 났다. 점점 더 지루해서
견딜 수가 없었다. 가만히 생각해 보니 이 별에 계속 남
아 있어야 할 이유가 없었다.

어린 왕자는 이 별을 떠나기로 결심했다.

"여기서는 제가 할 일이 없군요. 저는 이만 다른 별로
떠나겠어요."

순간 왕의 얼굴이 변했다. 신하를 한 사람 갖게 되어
무척 자랑스러워하고 있었는데, 그가 갑자기 떠난다고
하니 너무나 아쉬웠던 것이다.

왕은 한 명이라도 신하를 두고 싶었다. 그래서 어린
왕자가 떠나는 것을 말렸다.

"가지 마라!"

왕이 말했다.

"짐이 그대를 대신으로 삼을 테니 여기서 나와 함께
지내는 게 어떻겠는가?"

"무슨 대신이요?"

"사⋯⋯ 사법 대신을 하는 게 어떤가?"

왕은 어린 왕자를 자기 곁에 있게 하려고 사법 대신

이라는 직책을 만들어 낸 것이다.

"짐은 그대를 사법 대신으로 임명하노라!"

"이곳에는 재판 받을 사람이 아무도 없는걸요."

"글쎄, 알 수 없는 일이로다!"

왕이 어린 왕자에게 말했다.

"짐은 아직까지 왕국을 돌아본 적이 없노라. 네가 보다시피 짐은 너무 늙었고, 수레를 끌고 다닐 사람도, 수레를 놓을 자리도 없도다. 그렇다고 걸어다니면 너무 피곤해지느니라."

왕은 핑계를 대고 있었다.

"오! 그렇지만 전 벌써 이 별을 다 돌아보았는걸요."

허리를 굽혀 별 저쪽을 다시 한 번 둘러보며 어린 왕자는 말했다.

"저쪽에도 아무것도 없어요."

"그럼 사법 대신이 되어 너 자신을 재판해 보는 것은 어떤가? 다른 사람을 재판하는 것보다 자기 자신을 재판하는 일이 가장 어려운 일이도다. 네가 너 자신을 제대로 재판하게 된다면 너는 참으로 지혜로운 사람이 될 것이니라."

"저는 어디에서든 저를 재판할 수 있으니 꼭 여기 있을 필요는 없겠지요."

"어험, 짐의 별 어딘가에 늙은 쥐 한 마리가 살고 있노라. 밤이면 그 쥐 소리가 매우 시끄럽도다. 그 늙은 쥐를 재판하도록 하라. 그 쥐를 이따금 사형에 처하라. 그러면 그 생명이 너한테 달려 있도다. 그러나 한 마리밖에 없는 쥐이니까 아껴야 하느니라. 재판할 때마다 사형을 면제시키도록 하라."

왕의 말에 어린 왕자는 고개를 절레절레 흔들었다.

"저는…… 그런 일은 좋아하지 않아요. 그만 떠나겠어요."

"안 된다. 떠나지 마라."

어린 왕자는 어떤 일이 있더라도 이 별에서 떠나겠다고 결심했다. 그러나 늙은 군주를 슬프게 하고 싶지 않았다. 그래서 왕이 한 말을 그대로 이용했다.

"전하의 명령이 모두 이행되기를 원하신다면 이치에 맞는 명령을 내리셔야 해요. 제가 복종하게 하려면 이 별을 떠나라고 명령을 내려 주세요. 조건이 모두 갖춰진 것 같은데요."

어린 왕자의 말에 왕은 아무 대답이 없었다. 왕의 그런 모습이 너무도 처량하고 가여워 보였다. 어린 왕자는 조금 망설이다가 한숨을 쉬면서 별을 떠났다.

"그대를 짐의 대사로 임명하노라!"

왕은 다급하게 소리쳤다. 그러고는 잔뜩 위엄을 부리는 모습을 보였다.

'어른들은 참 이상해.'

어린 왕자는 이런 생각을 하며 다시 여행을 떠났다.

☆ 11

　어린 왕자가 두 번째로 찾아간 별에는 허영심이 많은 사람이 살고 있었다.

　"아아, 나의 숭배자가 한 사람 나타났구나!"

　허영심 많은 그 사람은 어린 왕자를 보자 멀리서부터 소리쳤다. 그 사람은 모두가 자신을 숭배한다고 믿고 있었다.

　"안녕하세요, 아저씨. 그런데 이상한 모자를 쓰고 있네요?"

　어린 왕자가 고개를 갸우뚱하며 말했다.

　"이건 인사를 하려고 쓰고 있는 모자란다. 내게 박수 갈채를 보내는 사람이 있을 때 답례의 절을 해야 하지 않겠니. 하지만 이곳으로 지나가는 사람이 아무도 없구나."

　"그래요?"

　어린 왕자는 그의 말이 무슨 뜻인지 알아들을 수 없

었다.

"나를 위해 박수를 쳐 주겠니?"

허영심 많은 사람이 양손을 벌리며 말했다. 어린 왕
자가 시키는 대로 박수를 치자, 허영심 많은 사람은 모

자를 벗어 들고 공손히 인사를 했다.

그런 모습을 보며 어린 왕자는 왕을 만났을 때보다 훨씬 재미있다고 생각했다. 그래서 어린 왕자는 그에게 계속 박수를 쳐 주었다. 그러자 허영심 많은 사람은 다시 모자를 벗어 들고 아까와 같은 행동을 되풀이했다. 얼마쯤 이렇게 하고 나니 어린 왕자는 박수 치는 데 싫증이 났다.

"모자를 떨어지게 하는 방법이 없을까요?"

어린 왕자가 물었지만 허영심 많은 사람은 들은 척도 하지 않았다. 그 사람은 오직 자신을 칭찬하는 말만 들었다. 그 이외에는 아무것도 귀담아듣지 않았다.

"너는 진심으로 나를 숭배하느냐?"

"숭배하는 게 뭔데요?"

어린 왕자는 숭배라는 말을 처음 들었기 때문에 잘 이해하지 못했다.

"숭배한다는 것은 말이다, 내가 이 별에서 최고라는 것을 네가 인정하는 것이야. 그러니까 내가 가장 멋있고 부자이며 똑똑하다고 생각하는 것이란다."

허영심 많은 사람은 우쭐거리며 어린 왕자에게 계속

자기 자랑을 늘어놓았다.

"그렇지만 이 별에는 아저씨 혼자밖에 없잖아요. 그런데 어떻게 다른 사람과 비교할 수 있어요?"

"그렇더라도 나를 즐겁게 해 다오. 제발 나를 숭배해 다오."

어린 왕자는 허영심 많은 사람의 강요 때문에 할 수 없이 말했다.

"아저씨를 숭배해요. 하지만 그것이 무슨 소용이 있나요?"

어린 왕자는 어깨를 약간 들썩이고는 뒤도 돌아보지 않고 그곳을 떠났다.

'어른들은 참 이상해.'

어린 왕자는 다시 길을 떠나면서 이렇게 생각했다.

그다음 어린 왕자가 찾아간 별에는 술꾼이 살고 있었
다. 그는 술 이외에는 아무것도 모르는 사람이었다. 어
린 왕자는 그 별에 아주 잠깐밖에 머물지 않았지만 마음
이 몹시 우울해졌다.

맨 처음 술꾼을 보았을 때 어린 왕자는 무척 조심스
러웠다. 술꾼은 빈 술병과 술이 가득 담긴 술병들을 늘
어놓고 술을 마시고 있었다. 그 모습은 어린 왕자를 불
안하게 했다.

어린 왕자는 술병 더미 속에 우두커니 앉아 있는 술
꾼에게 물었다.

"아저씨, 뭐 하고 계세요?"

"술 마시고 있단다."

술꾼은 어린 왕자를 쳐다보지도 않고 침울한 얼굴로
대답했다.

"술을 왜 마시나요?"

어린 왕자는 다시 물었다. 술꾼은 술에 취해 혀 꼬부라진 소리로 대답했다.

"잊어버리기 위해서지."

"잊다니, 무엇을 말인가요?"

"부끄러움을 잊기 위해서지."

술꾼은 벌게진 얼굴을 숙이며 대답했다. 그 모습을 본 어린 왕자는 술꾼이 불쌍해졌다. 어린 왕자는 술꾼을 도와주고 싶은 생각이 들어 물어보았다.

"무엇이 부끄러우신데요?"

그러자 술꾼은 비밀을 말하듯이 속삭였다.

"술을 마신다는 것이 부끄러워서 그렇단다."

술꾼은 이렇게 말하고 입을 꾹 다물더니 더 이상 아무 말도 하지 않았다.

어린 왕자는 머리를 갸웃거리며 그 별을 떠났다.

'어른들은 정말 이상해.'

어린 왕자는 길을 가며 아무리 생각해 봐도 어른들을 이해할 수가 없었다.

⭐ 13

네 번째 별은 사업가가 사는 별이었다. 그 사업가는 어린 왕자가 옆에 왔다는 것을 알면서 알은체도 하지 않았다. 무엇이 그리 바쁜지 담뱃불이 꺼진 것도 모르고 있었다.

"안녕하세요? 아저씨, 담뱃불이 꺼졌어요."

어린 왕자가 담뱃불이 꺼진 것을 알려 주었지만 그는 숫자를 세느라 여념이 없었다.

그는 무척이나 바쁜 듯, 어린 왕자가 가까이 가도 쳐다보지 않았다.

"셋에다가 둘을 더하면 다섯, 다섯에다 일곱을 더하면 열둘, 열둘에다 셋을 더하면 열다섯. 안녕! 열다섯에다 일곱을 더하면 스물둘. 휴, 스물둘에다 여섯을 더하면 스물여덟, 너무 바빠서 담뱃불을 붙일 틈도 없구나. 스물여섯에 다섯을 더하면 서른하나. 이것으로 모두 합해서 5억 162만 2731이로군."

"뭐라고요? 뭐가 5억이나 돼요?"

어린 왕자의 놀라는 소리에 사업가는 비로소 자기 옆에 사람이 있다는 것을 깨달은 듯했다.

"응? 너, 여태 거기 있었니? 5억 100만……, 금세 잊었네. 어쨌든 나는 너무 바쁘단다. 시시한 일에 시간을 쓸 틈이 없어. 둘에 다섯을 더하면 일곱……."

사업가는 계속 세고, 그것을 잊지 않으려고 종이에 적고는 또다시 세느라고 정신이 없었다.

"무엇이 5억 100만인데요?"

한번 물어본 것은 잊어버리는 일이 없는 어린 왕자가 다시 물었다.

그러자 사업가는 고개를 들며 말했다. 얼굴에는 이미 화가 난 표정이 역력했다.

"나는 54년 동안이나 이 별에서 살아왔다. 그렇지만 일하다가 방해를 받은 적은 단 세 번뿐이란다. 맨 처음이 22년 전이었는데, 어디선가 풍뎅이란 놈이 나타나 시끄럽게 붕붕거리고 다니는 바람에 덧셈을 하는 데 네 번이나 틀렸지. 그리고 두 번째인 11년 전에는 운동 부족으로 신경통이 심해졌기 때문에 아주 힘들었지. 나는 평상시에 운동을 안 하거든. 너무 바빠서 산책할 여유조차 없었단다. 그래서 병이 생긴 거지만, 그것이 다 내가 중대한 일을 하는 사람이라는 증거란다. 세 번째는 바로 지금 너 때문이야."

사업가는 어린 왕자를 몹시 못마땅해했다.

"가만있자, 5억 100만이라고 했지?"

"도대체 뭐가요?"

사업가는 조용히 일할 가망이 없다는 것을 깨달았다. 그래서 계속해서 물어 대는 어린 왕자에게 차라리 대답을 해 주는 것이 훨씬 낫겠다고 생각했다.

"그건 말이다, 이따금 하늘에 보이는 저 조그만 것들의 숫자란다."

"파리 말이에요?"

"아니, 저기 하늘에서 반짝반짝 빛나는 조그만 것들 말이다."

"꿀벌 말인가요?"

"아니라니까. 가끔 게으름뱅이들이 그걸 보고 멍하니 공상에 빠지곤 하는 금빛으로 빛나는 단추 같은 것 말이다."

어린 왕자는 마침내 사업가가 말하는 것이 무엇인지 알아차렸다.

"아, 별 말이군요!"

"그래, 맞아. 별이야!"

어린 왕자의 말에 사업가는 정답이라고 소리라도 치

고 싶었지만 한껏 점잔을 빼면서 말했다.

"그런데 아저씨는 5억 개나 되는 수많은 별로 무엇을
하는데요?"

"그 별들은 5억 162만 2731개야. 나는 아주 중요한
일을 하고 있어. 그리고 나는 매우 정확한 사람이야."

"그래요. 그런데 아저씨는 그 별을 가지고 뭘 하느냔
말이에요?"

"무얼 하느냐고?"

어린 왕자는 짜증이 났다. 똑같은 말만 되풀이하는
사업가와 얘기하는 것이 재미없게 느껴졌기 때문이다.

하지만 그냥 지나칠 수는 없었다. 한번 궁금해진 것
은 그냥 넘어가지 못하는 성격 때문이었다. 그래서 아
까보다 더 큰 소리로 물었다.

"아저씨는 그 많은 별로 무얼 하느냐고요?"

"무얼 하긴, 그냥 가지고 있는 거지."

"그 수많은 별을 아저씨 혼자 다 차지하고 있단 말이
에요?"

"그럼!"

사업가의 대답은 아주 간단했다.

"그렇지만…… 난 얼마 전에 별을 지배하는 왕을 만났어요. 그럼 그분은 뭔가요?"

"왕은 별을 차지하는 게 아니라 그저 다스리는 것뿐이야. 그건 아주 다른 거다."

사업가는 하하 웃어 버렸다.

"그런데 아저씨는 왜 많은 별을 가지고 있나요?"

"별을 가지면 부자가 되니까."

"부자가 되면 뭘 하죠?"

"누군가 다른 별을 발견하면 그것을 살 수도 있단다. 그럼 점점 더 부자가 되는 거지."

그 순간 어린 왕자는 이 사람도 술꾼과 비슷한 이야

기를 한다고 생각했다. 이상하게도 어른들은 다들 비슷한 말을 했다.

어린 왕자는 속으로 이런 생각을 하며 다시 물었다.

"그럼 어떻게 해야 저 많은 별들을 다 차지할 수 있나요?"

"별들이 누구 것이라고 생각하니?"

사업가는 투덜거리며 되물었다.

"나는 잘 몰라요. 하지만 누구의 것도 아니라고 생각해요."

어린 왕자는 별들의 주인이 누구인지 정확히 알 수 없었으므로 말끝을 흐렸다.

"그러니까 내 것이란 말이다. 내가 맨 처음 그 생각을 했으니까."

"그러면 별들이 다 아저씨 것이 되는 거예요?"

"물론이지. 만약 네가 주인이 없는 보석을 발견하면 그건 네 것이 되는 거란다. 또 네가 무슨 생각을 맨 처음 해 내면 그것에 대해서 특허를 받게 되잖니? 그 생각은 분명히 네 거니까. 그와 마찬가지로 별들을 차지할 생각을 나보다 먼저 한 사람이 없으니까 별들이다 내 것이 되는 거란다."

"그건 그렇겠군요. 그런데 아저씨는 별을 가져서 뭘 하세요?"

"관리를 하는 거다. 그 별이 모두 몇 개인지 세어 보고 또 세어 본단다. 난 빈틈이 없는 꼼꼼한 사람이니까 숫자가 맞는지 늘 세어 보아야 한단다. 그건 아주 힘든 일이야. 하지만 난 괜찮아. 난 중요한 일을 하는 걸 아주 좋아하거든."

사업가는 별의 개수를 세는 것이 세상에서 가장 중요한 일이라고 생각했다. 그렇지만 어린 왕자는 그 말에 만족하지 않았다.

"나는 말이에요, 목도리가 있으면 그걸 목에 두르고 다닐 수 있어요. 또 꽃이 있으면 그걸 따서 향기를 맡을 수도 있고, 가지고 다닐 수도 있어요. 그렇지만 아저씨는 별을 딸 수 없잖아요?"

"그래, 하지만 나는 내 별들을 은행에 맡겨 둘 수가 있지."

어린 왕자는 사업가의 말이 잘 이해되지 않았다.

"어떻게 하는가 하면 말이다, 조그만 종이쪽지에다

내 별의 수를 적어서 그것을 서랍에 넣고 잠가 두면 되는 거야."

사업가는 더 이상 설명하지 않았다. 사실 그것이 전부였다. 어린 왕자는 실망스러웠다.

"그것뿐이에요?"

"그것뿐이지. 다른 좋은 방법이 있을 리 없잖니?"

어린 왕자는 사업가의 이야기가 재미있었다. 그리고 꽤 시적으로 들리기도 했다. 그렇지만 그렇게 중요한 일은 아닌 것 같았다.

어린 왕자가 중요한 일이라고 생각하는 것은 어른들이 생각하는 것과 많이 달랐다.

"난 꽃을 하나 갖고 있는데 날마다 물을 줘요. 또 화산도 세 개나 가지고 있는데, 일주일에 한 번씩 분화구의 그을음을 털고 청소를 해 주죠. 언제 무슨 일이 생길지 모르니까요. 내가 꽃이나 화산을 가지고 있으니까 그들을 위해 도움이 될 만한 일을 하는 거예요. 그렇다면 아저씨는 별들을 위해 뭘 해 주시나요?"

사업가는 무슨 말인가를 하려고 입을 벌렸지만 아무 말도 하지 못했다.

어린 왕자는 그 별을 떠났다.

'어른들은 정말 이상하다니까…….'

별을 떠나면서 어린 왕자는 속으로 또 이렇게 중얼거렸다.

어린 왕자가 다섯 번째로 찾아간 별은 아주 신기했
다. 그 별은 이제까지 본 별들 중에서 가장 작았다. 그리
고 가로등 하나와 가로등에 불을 켜는 사람이 하나 서
있을 뿐이었다.

집도 사람도 없는 별에 왜 가로등과 불 켜는 사람이

있어야 하는지 어린 왕자는 이해할 수 없었다. 그런데도 어린 왕자는 속으로 이렇게 생각했다.

'이 별에 있는 사람은 어리석은 사람일 수도 있겠지만 그래도 왕이나 허영심 많은 사람, 술꾼, 사업가보다는 나을 거야. 적어도 그가 하는 일은 의미가 있어. 가로등을 켜면 별을 하나 더, 또 꽃 한 송이를 새로 태어나게 하는 것이나 마찬가지니까. 그가 가로등을 끄면 꽃이나 별을 잠재우는 거고. 매우 멋지고 유익한 일이야.'

그 별에 발을 들여놓으며 어린 왕자는 가로등 관리인에게 가까이 다가가 공손히 인사를 했다.

"아저씨, 안녕하세요!"

"좋은 아침이구나!"

어린 왕자는 반갑게 미소를 지으며 아저씨를 쳐다보았다. 그러나 그는 얼마 안 있어 가로등을 껐다.

"왜 가로등을 꺼요?"

"명령이란다. 좋은 저녁이구나, 안녕!"

관리인은 무뚝뚝하게 대꾸했다.

"무슨 명령이에요?"

"그야 가로등을 끄라는 명령이지."

그는 잠시 후에 다시 가로등을 켰다.

"지금은 불이 켜졌어요."

"명령이기 때문이야."

가로등을 끌 때와 마찬가지로 가로등 관리인은 퉁명스레 대꾸했다.

"정말 알 수가 없군요."

어린 왕자는 그 사람이 못마땅했다. 금방 불을 껐다가 다시 켜고, 또 끄고…… 왜 그러는지 이해할 수 없었다. 하지만 가로등 관리인은 그 일에만 열중하느라 아무 생각이 없어 보였다.

"알고 말고 할 것도 없지. 명령은 명령일 뿐이니까. 그냥 따르는 거야. 안녕?"

그 사람은 다시 가로등을 껐다. 그런 다음 붉은 바둑판 무늬가 찍힌 손수건을 꺼내 이마의 땀을 닦았다.

"내가 지금 하는 일은 무척 힘든 일이야. 전에는 괜찮았어. 아침에는 불을 끄고 저녁에는 불을 켰으니까. 내 시간이 넉넉했지. 낮에는 쉴 수도 있고, 밤에는 잠을 잘 수도 있었단다."

"그렇다면 명령이 바뀌었나요?"

어린 왕자는 호기심 때문에 자세히 물어보았다.

"그게 바로 문제란다. 별이 도는 속도가 빨라졌는데 명령이 바뀌지 않아서 걱정이란다. 세월이 갈수록 별이 도는 속도는 점점 빨라지는데 명령은 항상 그대로 있단 말이야."

"그래서요?"

어린 왕자가 다시 물었다.

"지금은 별이 1분에 한 바퀴씩 돌기 때문에 나는 1초도 쉴 수가 없는 거야. 1분에 한 번씩 가로등을 껐다 켰다 해야 하니까."

"그럼 아저씨네 별에서는 1분이 하루인 셈이군요."

"그렇단다. 우리가 이야기하고 있는 동안 벌써 한 달이 지난 셈이지."

그 사람이 말했다.

"한 달이라고요?"

어린 왕자는 깜짝 놀라며 가로등 관리인을 물끄러미 바라보았다.

"그렇다니까! 30분이 지났으니까 30일이 지난 거지.

그럼 잘 자거라."

그는 아무렇지도 않게 다시 불을 켰다.

어린 왕자는 가로등 관리인이 자기 일에 참으로 충실
한 사람이라고 생각했다. 그래서 그 사람이 좋아졌다.

어린 왕자는 그를 도와주고 싶었다.

"저 좀 보세요, 아저씨. 아저씨가 원한다면 쉬고 싶을
때 쉴 수 있는 방법을 알려 드릴게요."

가로등 관리인은 어린 왕자의 말을 끊으며 말했다.

"나도 쉬고 싶지만……."

사람이란 성실하면서도 게으를 수 있는 법이다. 어린
왕자는 하던 이야기를 계속했다.

"아저씨 별은 아주 작아요. 세 발자국만 움직이면 한
바퀴를 돌 수 있어요. 그러니까 천천히 걷기만 하면
돼요. 언제나 해를 볼 수 있게 말이에요. 그러면 원래
대로 해가 오래 있을 테니까 아저씨가 쉬고 싶을 때
는 그렇게 천천히 걸으면 돼요."

"그건 내게 별로 도움이 되지 않을 것 같구나. 난 잠
을 자고 싶으니까."

가로등 관리인이 대답했다.

"그렇다면 안됐군요."

"그래, 안녕."

가로등 관리인은 어린 왕자의 말에 시큰둥하게 대답했다. 그리고 다시 가로등을 껐다.

어린 왕자는 가로등 관리인이 있는 별을 떠나면서 생각했다.

'저 사람은 왕이나 허영심 많은 사람이나 술꾼이나 사업가로부터 업신여김을 받을지도 몰라. 하지만 나에게 우스꽝스러워 보이지 않는 사람은 저 아저씨뿐이야. 그건 아마 저 아저씨가 자기 자신을 위한 일이 아닌, 다른 사람을 생각하고 일하기 때문일 거야. 저 아저씨를 친구로 삼고 싶지만 별이 너무 작아서 두 사람이 함께 있을 자리가 없는걸.'

어린 왕자가 그 별을 잊지 못하는 것은, 그 별에서는 하루에 1440번이나 해가 지는 것을 볼 수 있었기 때문이었다. 그렇지만 어린 왕자는 그 별을 포기하지 않을 수 없었다.

어린 왕자는 너무도 섭섭해서 한숨을 푹 내쉬었다.

★ 15

어린 왕자가 여섯 번째로 방문한 별은 먼젓번 별보다 열 배나 큰 별이었다. 그 별에는 어마어마하게 큰 책에 무엇인가를 쓰고 있는 노신사가 살고 있었다.

"오, 탐험가가 또 한 명 왔구나!"

노신사는 어린 왕자를 보자 기뻐서 소리쳤다.

어린 왕자는 책상 위에 앉아 한숨 돌렸다. 지쳤을 만큼 벌써 많은 곳을 돌아다닌 것이다.

"넌 어디서 왔니?"

노신사가 물었다.

"이 두꺼운 책은 뭐죠? 할아버지는 여기서 무엇을 하고 계세요?"

어린 왕자는 노신사에게 다가가 대답할 틈도 주지 않고 물었다.

"나는 지리학자란다."

"지리학자는 뭐 하는 사람이에요?"

"바다와 강, 도시나 산, 사막 등이 어디 있는지 알아
내는 학자지."
"재미있겠네요. 이제야 정말 직업다운 직업을 보게
되었어요."
말을 하며 어린 왕자는 지리학자의 별을 빨리 한 바

퀴 둘러보았다. 지금까지 본 별 중에서 가장 아름다운
별이었다.

"할아버지가 사는 별은 정말 아름답군요. 그런데 이
별에 큰 바다도 있나요?"

"그건 나도 모른다."

지리학자가 대답했다.

"그럼 산은요?"

어린 왕자는 기대가 어긋나는 것을 느꼈지만 다시 한
번 물어보았다.

"내가 어떻게 알겠니?"

"그럼 도시나 강이나 사막은요?"

"그것도 모른단다."

여러 가지를 물어보았지만 노신사는 한 가지도 제대
로 대답하지 못했다.

"하지만 할아버지는 지리학자라고 하셨잖아요. 그런
데 그런 것도 모르세요?"

어린 왕자는 실망해서 따지듯이 물었다.

"그래. 나는 지리학자지 탐험가가 아니란다. 지리학
자는 도시며 산이며 강이나 바다, 사막 등을 세러 다

니지는 않는단다. 그런 일들은 탐험가들이 하는 일이지. 지리학자는 중요한 일을 하므로 서재를 떠나 돌아다닐 수가 없어. 그 대신 지리학자는 서재에서 탐험가들을 만나 그들이 한 이야기를 기록해 둔단다."

노신사는 우쭐거리며 말을 계속했다.

"탐험가들이 들려준 이야기가 흥미로우면 지리학자는 그들의 인격을 조사하지. 그가 진실한 사람인지 아닌지 말이다."

"그건 왜요?"

"만일 어떤 탐험가가 거짓말을 한다면 지리 책은 뒤죽박죽이 되기 때문이야. 또 탐험가가 술을 너무 많이 마셔도 문제지. 술꾼에게는 사물이 두 개로 보이기도 한단다. 그러면 지리학자는 산이 한 개밖에 없는데도 두 개로 적게 되거든. 그래서 탐험가가 진실한 사람인지 먼저 알아보고 나서 그의 말을 기록하는 거란다."

"그럼 탐험가의 말을 듣고 나서는 직접 그곳을 보러 가나요?"

"아니다. 그건 너무 복잡하니까 탐험가에게 증거물

을 내보이라고 한단다. 예를 들어 어떤 탐험가가 큰 산을 발견했다고 하면 그곳에서 큰 돌을 가져오라고 하지."

노신사는 갑자기 흥분해서 서둘렀다.

"너도 먼 곳에서 왔으니까 훌륭한 탐험가일 거야. 네가 살던 별에 대해 얘기해 보렴. 자, 어서 말해 다오."

그러면서 노신사는 장부를 갖다 놓고 연필을 깎았다.

노신사는 탐험가들의 이야기를 우선 연필로 적어 놓았다가 다음에 탐험가들이 증거물을 가져오면 잉크로 적었다.

"제 별은 그다지 흥미롭지 못해요. 아주 조그마해요. 불을 뿜는 화산이 두 개, 잠자는 화산이 한 개 있어요. 하지만 언제 폭발할지는 알 수 없어요."

"그거야 알 수 없지."

"꽃도 한 송이 있어요."

"우린 꽃은 기록하지 않는단다."

노신사의 이 말에 어린 왕자는 기분이 상해서 물었다.

"그건 왜죠? 아주 예쁜 꽃인데요."

"꽃이란 덧없는 것이니까. 지리 책은 가장 중요한 책

이라서 변치 않는 영원한 것들만 적어 둔단다. 산이나 바다 같은 것 말이다. 산이 자리를 바꾼다든지 바다의 물이 마른다든지 하는 일은 아주 드물거든."

"그렇지만 잠자는 화산도 언젠가 다시 불을 뿜을 수 있는걸요."

"화산이 꺼졌건 불을 뿜건 마찬가지다. 중요한 건 산이다. 그건 변치 않으니까."

"그런데 '덧없다'는 게 뭐예요?"

한번 물어본 것을 이해하기 전에는 절대로 그냥 지나치지 않는 어린 왕자가 다시 물었다.

"머지않아 사라진다는 뜻이다."

"그럼 내 꽃도 언젠가는 사라지나요?"

"물론이지."

노신사의 말에 어린 왕자는 깜짝 놀랐다.

'내 꽃이 사라진다고? 자기 몸을 보호할 무기라고는 네 개의 가시밖에 없는데……. 게다가 나는 그런 꽃을 별에 혼자 남겨 두고 떠나다니…….'

어린 왕자는 별을 떠나온 것을 후회하며 장미꽃을 그리워했다. 그러나 용기를 내어 물어보았다.

"할아버지, 전 또 다른 별로 가려 하는데 어느 별이 좋을까요?"

"지구라는 별에 가 보려무나. 그 별은 좋은 곳이라고 소문이 났단다."

이렇게 해서 어린 왕자는 제 별에 두고 온 장미꽃을 생각하면서 지구를 향해 떠났다.

⭐ 16

어린 왕자가 일곱 번째로 찾아온 별은 지구였다.

지구는 시시한 다른 별들과는 달랐다. 아주 신비로운 별이었다.

그곳에는 왕이 111명이나 있고, 지리학자가 7000명, 또 사업가가 90만 명, 술꾼은 750만 명, 허영심이 많은 사람은 3억 1100만 명이나 되었다. 지구는 약 20억 명의 사람들이 살고 있는 커다란 별이었다.

지구가 얼마나 큰지는 전기가 발명되기 전에 가로등에 불 켜는 사람이 군대만큼이나 많은 46만 2511명이나 있었다는 이야기를 들으면 알 수 있다.

불을 켜는 사람들이 가로등에 불을 밝히는 광경은 참으로 황홀하고 멋졌다. 그 사람들의 움직임은 마치 오페라 발레단의 무용수처럼 질서 있게 보였다.

가장 먼저 뉴질랜드와 오스트레일리아 사람들이 나타나 가로등에 불을 켜고 사라지면, 중국과 시베리아의 가로등에 불 켜는 사람들이 무대에 나타나 춤을 추기 시작한다. 그들이 무대 뒤로 사라지면 러시아와 인도의 가로등에 불을 켜는 사람들이 나타났다가는 사라진다.

그다음은 아프리카와 유럽, 남아메리카와 북아메리카의 불을 켜는 사람들이 차례로 나타나 무대를 아름답게 장식한다.

그들이 무대에 입장하는 순서는 한 번도 바뀐 적이 없었다. 참으로 장엄한 광경이었다.

다만 북극과 남극에는 각각 하나밖에 없는 가로등에, 불을 켜는 사람도 각각 한 사람씩 있어 마음껏 게으름을 부리고 있었다. 그 두 사람은 일 년에 두 번만 일하기 때문이었다.

17

재치 있게 이야기하려고 하다 보면 사실과는 좀 다르게 거짓말을 하게 될 수도 있다. 그러니까 내가 말한 가로등 켜는 사람의 이야기가 모두 사실이라고는 말할 수 없다.

지구에 처음 온 사람은 이 이야기를 듣고 지구에 대해 선입관을 가질 수도 있다.

사람들은 지구의 넓은 공간 중에서 아주 작은 윗부분만을 차지하고 살아간다. 지구에 사는 20억 명의 사람들이 한곳에 모이려면 가로세로 30킬로미터의 땅이면 된다. 이것은 태평양에 있는 작은 섬 하나에 불과하다.

물론 어른들은 이 말을 믿지 않을 것이다. 어른들은 자신들이 굉장히 넓은 자리를 차지하고 있는 줄로 생각한다. 그리고 바오바브나무처럼 자신들이 무척 중요한 사람이라고 생각한다.

어른들은 숫자를 좋아하니까 직접 계산해 보라고 해

야 한다. 그러면 아주 좋아하면서 즉시 해 볼 것이다.

하지만 여러분은 이 문제를 푸느라고 쓸데없이 시간을 낭비하지 않아도 된다. 내가 하는 말을 그냥 믿기만 하면 되는 것이다.

지구에 도착한 어린 왕자는 사람이 한 명도 보이지 않아 깜짝 놀랐다.

'별을 잘못 찾아온 것이 아닐까?'

걱정이 되기 시작했다.

그때 노란 달빛 같은 고리가 모래 속에서 꿈틀거렸다. 자세히 보니 그것은 노란 뱀이었다.

"안녕?"

어린 왕자는 먼저 말을 걸어 보았다.

"안녕!"

뱀이 대답했다.

"난 지금 어느 별에 있는 거야?"

어린 왕자가 궁금해서 물어보았다.

"지구야. 지구 중에서도 아프리카라는 곳이지."

"그렇구나. 그런데 지구에는 사람이 살지 않니?"

"여기는 사막이라서 그래. 사막에는 사람이 살지 않는단다. 지구는 굉장히 크거든."

뱀이 말했다.

어린 왕자는 돌 위에 걸터앉아 하늘을 쳐다보았다.

"별들은 왜 저렇게 반짝반짝 빛나고 있는 걸까? 사람들이 자기 별을 찾을 수 있도록 빛나는 거겠지? 저기 내 별을 봐. 바로 머리 위에서 빛나고 있어. 하지만 어쩌면 저렇게 멀리 보이는 것일까?"

"참 아름다운 별이구나. 그런데 왜 떠나왔니?"

뱀이 하늘을 쳐다보며 물었다.

"어떤 꽃하고 좀 다투었거든."

어린 왕자가 더듬거리며 대답했다.

"그랬구나."

어린 왕자는 한참 동안 아무 말도 하지 않았다.

뱀도 더 이상 묻지 않았다.

"사람들은 어디 있어? 사막은 좀 쓸쓸하구나."

이윽고 어린 왕자가 입을 열었다.

"사람들이 많이 사는 곳에 있어도 쓸쓸하기는 마찬가지야."

어린 왕자는 이렇게 말하는 뱀을 유심히 바라보았다.

"너는 참 이상하게 생겼구나. 몸이 손가락처럼 가늘고……."

"그래도 나는 왕의 손가락보다도 더 힘이 세고 무섭단다."

뱀이 힘자랑을 하자 어린 왕자는 웃으며 말했다.

"그렇게 무섭지는 않은데? 힘이 센 것 같지도 않고. 그리고 넌 다리가 없어서 여행을 할 수도 없겠는걸."

"하지만 난 배보다도 멀리 너를 데려갈 수 있어."

뱀은 몸을 동그랗게 해서 금팔찌 모양으로 어린 왕자의 발목을 감으며 말했다.

"내가 한번 건드린 사람은 누구나 자기가 온 곳으로 되돌아가게 되지. 덩치 큰 코끼리라 하더라도 말이야. 하지만 넌 순진하고 별에서 왔으니까……."

뱀은 곧 어린 왕자의 다리를 풀어 주었다. 하지만 어린 왕자는 뱀에게 아무런 대답도 하지 않았다.

"너처럼 순진하고 약한 아이가 돌투성이 땅 위에 있는 걸 보니 가여운 생각이 드는구나. 언제고 네 별이 몹시 그리워 돌아가고 싶어지면 내가 도와줄게."

"고마워, 기억해 둘게. 그런데 너는 계속 수수께끼 같은 말만 하는구나."

어린 왕자가 말했다.

"나는 그 모든 것을 해결할 수 있거든."

뱀이 대답했다. 그러고 나서 어린 왕자와 뱀은 입을 다물고 아무 말도 하지 않았다.

18

어린 왕자는 쉬지 않고 사막을 가로질러 갔다.

그러나 어린 왕자가 사막에서 만난 것이라고는 꽃 한 송이밖에 없었다. 그것도 꽃잎이 석 장뿐인 아주 볼품없는 꽃이었다.

"안녕!"

어린 왕자가 반가운 마음으로 꽃에게 인사를 했다.

"안녕!"

볼품없는 꽃도 인사했다.

"사람들은 어디 있니?"

어린 왕자가 조심스럽게 물어보았다. 꽃은 낙타를 타고 지나가던 사람들의 모습을 본 것이 생각났다.

"몇 해 전인가 예닐곱 명쯤 되는 사람들이 이곳을 지나간 적이 있었어. 하지만 어디로 가야 그들을 만날 수 있을지는 모르겠어. 바람에 밀려다니니까. 그들은 한곳에 머물러 있지 않거든. 그게 문제야."

어린 왕자는 그 말에 무척 실망했다. 벌써 며칠을 걸었는데도 사람들이 어디에 있는지조차 알아내지 못했으니 저절로 힘이 빠졌다.

"고마워, 잘 있어."

"잘 가."

어린 왕자는 볼품없는 꽃과 인사를 나누고 헤어졌다.

☆ 19

어린 왕자는 높은 산으로 올라갔다. 그 산은 어린 왕자가 올라가 본 산 중에서 가장 높았다. 지금까지 어린 왕자가 알고 있던 산이라곤 겨우 무릎까지밖에 안 오는 세 개의 화산뿐이었기 때문이다.

게다가 어린 왕자는 불이 꺼진 화산을 의자로 쓰기까지 했다.

어린 왕자는 높은 산을 보자 이런 생각이 들었다.

'이처럼 높은 산에서는 이 지구 전체를 한눈에 볼 수 있을 거야. 사람들도 보이겠지?'

그러나 어린 왕자의 눈에는 뾰족한 산봉우리 이외에는 아무것도 보이지 않았다.

"안녕!"

어린 왕자는 아무 곳에나 무턱대고 인사했다. 혹시라도 누가 있으면 대답해 줄 거라고 믿었기 때문이다.

"안녕…… 안녕…… 안녕……."

어린 왕자가 외친 소리와 똑같은 소리로 메아리가 대답했다.

"너는 누구니?"

어린 왕자가 메아리를 향해 또 물었다.

"너는 누구니…… 너는 누구니……."

메아리가 이번에도 똑같이 대답했다.

"내 친구가 되어 줘. 나는 혼자야!"

"혼자야…… 혼자야…… 혼자야……."

메아리가 다시 대답했다.

어린 왕자는 이상한 생각이 들었다.

'참 이상한 별이야. 땅은 메마르고, 산은 뾰족하고, 소금이 말라붙어 버석거리기도 하고, 기분도 나빠. 사람들은 상상력이 없는지 바보같이 남이 한 말만 따라 해. 내 별에 피어 있는 꽃은 언제나 나에게 먼저 말을 걸어 주었는데…….'

20

어린 왕자는 오랫동안 모래와 바위와 눈 위를 이리저
리 헤맨 끝에 마침내 길을 하나 발견했다. 길이란 사람
이 사는 데로 나 있게 마련이다. 그래서 길을 따라가면
사람을 만날 수 있을 거라고 생각했다.

어린 왕자는 장미꽃이 피어 있는 정원에 다다랐다.

"안녕?"

어린 왕자가 꽃들에게 인사했다.

"안녕!"

꽃들도 인사를 했다. 어린 왕자가 자기 별에 두고 온 꽃과 닮은 꽃들이었다. 어린 왕자는 마냥 신기했다.

"너희는 누구니?"

"우리는 장미꽃이야."

어린 왕자가 묻자 꽃들이 합창을 하듯 입을 모아 대답했다.

"아, 그러니?"

어린 왕자는 갑자기 너무나 슬퍼졌다. 어린 왕자가 사는 별에 두고 온 꽃은 자기가 이 세상에 한 송이밖에 없는 것처럼 뽐낸 적이 있었다. 하지만 지구라는 별에 와 보니 똑같은 꽃들이 5000송이나 피어 있었다.

'내 꽃이 이런 사실을 안다면 뾰로통해져서 기침을 해 대며 죽는시늉을 할 거야.'

어린 왕자는 또 이런 생각도 들었다.

'난 지금까지 세상에서 단 하나밖에 없는 꽃을 가져

서 부자라고 생각했었는데 알고 보니 평범한 장미꽃 한 송이를 가지고 있었구나. 내가 가진 것이라곤 그 흔한 장미꽃 한 송이와 무릎 높이밖에 안 오는 화산 세 개야. 그나마 한 개는 영영 꺼져 버릴지도 모르는 잠자는 화산이야. 그것만으로는 훌륭한 왕자라고 할 수 없어.'

어린 왕자는 자기 자신이 아주 불쌍하게 생각되었다. 그래서 자기도 모르게 풀밭에 엎드려 울었다.

21

바로 그때 여우가 나타났다.

"안녕?"

울고 있는 어린 왕자에게
여우가 먼저 말을 걸었다.

"안녕!"

어린 왕자가 공손하게 대답하면
서 뒤를 돌아다보았지만 아무도 보이지 않았다.

"여기야, 사과나무 밑에……"

아까의 목소리가 사과나무 쪽에서 들렸다.

"넌 누구니? 참 예쁘구나!"

어린 왕자가 반갑게 말했다.

"난 여우야."

"이리 와서 나와 놀지 않겠니? 난 지금 너무 쓸쓸해."

"하지만 나는 너와 함께 놀 수가 없어. 난 아직 길들
여지지 않았거든."

어린 왕자는 여우의 그 말을 이해할 수 없었다.

"길들여지다니, 그게 무슨 말이니?"

"너는 이곳에 사는 아이가 아니구나. 이곳엔 무엇을 찾으러 왔니?"

여우는 어린 왕자의 물음에는 대답하지 않고 물었다.

"난 사람들을 찾고 있어. 그런데 길들여진다는 게 무슨 뜻이니?"

"사람들은 총을 가지고 사냥을 하지. 그건 아주 위험한 일이야. 그들은 닭도 길러. 사냥하는 것과 닭을 기르는 일 이외에 사람들에게는 취미가 없나 봐. 너도 닭을 찾고 있니?"

"아니, 나는 친구를 찾고 있어. 그런데 길들여진다는 게 무슨 말이지?"

"그건 너무 잊힌 말이야. 서로 사이좋게 관계를 맺는다는 뜻이지."

"관계를 맺는다는 게 뭔데?"

어린 왕자는 여우가 하는 말들이 신기했다.

"너는 내게 수많은 꼬마 중 한 명에 지나지 않아. 나 또한 너에게 수많은 여우 중 한 마리일 뿐이지. 그러니까 나한테는 네가 꼭 필요하지 않아. 물론 너도 마찬가지로 내가 필요하지 않을 거고. 왜냐 하면 너한테 나는 수많은 여우 중 한 마리일 뿐이니까. 하지만 네가 나를 길들인다면 우리는 서로 필요해지는 거야. 너는 내게 있어 이 세상에서 단 한 사람이 되는 거고, 나는 너에게 둘도 없는 여우가 되는 거지."

"이제 알겠다."

어린 왕자가 고개를 끄덕였다.

"내가 사는 별에는 꽃이 있는데 그 꽃이 나를 길들였나 봐."

"그랬을지도 모르지. 지구에서는 별의별 일들이 다 일어나니까."

"그 꽃은 지구에 있는 게 아니야."

어린 왕자의 대답을 듣고서야 여우는 귀가 솔깃한 모양이었다.

"그럼 다른 별에 대한 이야기니?"

"응, 내가 떠나온 별에 관한 이야기야."

"그 별에도 사냥꾼이 있니?"

"없어."

"그거 괜찮은데……. 그럼 닭은?"

"그것도 없어."

"그렇다면 나는 그 별에 가지 못하겠는걸. 후유, 무엇이고 완전한 것은 없다니까."

여우는 한숨을 쉬면서 다시 말을 이었다.

"내 생활은 따분해. 나는 닭을 잡고, 사람들은 나를 잡고……. 닭들도 비슷하고, 사람들도 비슷해. 그래

서 나는 싫증이 나서 좀 지쳤어. 그런데 만일 네가 나를 길들여 준다면 내 생활은 나아질 거야. 다른 사람의 발소리가 들려오면 나는 굴속에 숨지만, 네 발소리가 들려오면 음악을 듣는 듯이 즐거운 마음으로 굴밖으로 뛰어나올 거야."

여우는 정신없이 이야기를 계속했다.

"저 아래 밀밭이 보이지? 난 빵을 먹지 않으니까 밀

은 나한테 아무 소용이 없어. 그러니까 밀밭을 보아
도 내 머릿속에는 떠오르는 게 없단다. 그런 게 난 너
무도 슬퍼. 그런데 네 머리는 금빛이구나. 네가 나를
길들여 놓으면 정말 근사할 거야. 황금빛 밀밭을 보
면 금빛으로 빛나는 네 머리카락이 생각나 너를 그리
워하게 될 테니까. 어쩌면 밀밭으로 지나가는 바람
소리조차도 좋아지겠지."

　잠시 말을 멈추고 어린 왕자의 얼굴을 쳐다보던 여우
가 말했다.

　"나를 길들여 줘, 제발……."

　어린 왕자는 잠시 머뭇거렸다.

　"그럴게. 그런데 나한테는 시간이 별로 없어. 친구들
을 찾아야 하니까."

　"네가 정말 친구를 갖고 싶다면 나를 길들여 봐. 사람
들은 이미 길들여진 것밖에는 몰라. 무엇을 알 시간
이 없어진 거지. 무엇이든지 자기가 길들이지 않으면
아무것도 제대로 알 수가 없단 말이야. 사람들은 가
게에서 이미 만들어져 있는 것들을 사지. 하지만 친
구를 파는 가게는 없어. 그래서 사람들은 이제 친구

가 없게 된 거야. 만약에 네가 친구를 갖기 원한다면 나를 길들이렴."

"내가 뭘 해야 하니?"

어린 왕자는 길들이려면 어떻게 해야 하는지 물었다.

"우선 참을성이 많아야 해. 처음에는 내게서 좀 떨어져서 풀 위에 그냥 앉아 있어. 내가 곁눈으로 너를 쳐다보더라도 아무 말도 하지 말아야 해. 말이란 가끔 오해를 낳기도 하니까. 그러면서 매일 조금씩 내게로 다가오는 거야."

그다음 날, 어린 왕자는 다시 여우를 찾아갔다. 그러자 여우가 말했다.

"언제나 같은 시각에 오는 게 더 효과적이야. 예를 들어 네가 오후 4시에 온다면 난 3시부터 행복해지기 시작할 거야. 시간이 지날수록 점점 더 행복을 느끼게 되겠지. 그리고 오후 4시가 되면 난 가슴이 뛰어 안절부절못할 거야. 행복이 얼마나 소중한가를 알게 되는 거지. 그런데 네가 아무 때나 불쑥 나타난다면 난 언제쯤 너를 기다려야 할지 모르잖아. 그래서 의식이 필요한 거야."

"의식은 또 뭐야?"

어린 왕자는 또다시 물었다.

"그것도 사람들에게 너무나 잊혀졌어."

여우가 말했다.

"다르게 만드는 거야. 어떤 날을 보통 때의 날들과 다르게 하고, 어떤 시간을 보통 때의 시간들과 다르게 만드는 거지. 나를 쫓아오는 사냥꾼들은 그런 의식이라는 게 있어. 예를 들면 사냥꾼은 매주 목요일에는 동네 아가씨들하고 춤을 추지. 그래서 목요일은 아주 즐거운 날이란다. 나는 목요일이면 포도밭까지 산책

하러 나갈 수 있어. 만약 사냥꾼들이 아무 때나 아가씨들하고 춤을 춘다고 해 봐. 모든 날들이 다 똑같으니, 내가 마음껏 쉴 수 있는 날이 없을 거 아니겠어?"

이렇게 해서 어린 왕자는 여우를 길들였다.

어린 왕자가 떠날 시간이 가까워 오자 여우는 슬픈 얼굴로 말했다.

"네가 떠나면 난 울 것 같아."

"그건 내 탓이 아니야. 난 너를 괴롭힐 생각이 조금도 없었는데 네가 길들여 달라고 했어."

"그래."

"그런데도 넌 울려고 하잖아?"

여우는 아무 말도 하지 않았다.

"그럼 넌 아무것도 얻은 게 없구나."

어린 왕자가 여우에게 말했다.

"얻은 게 있어. 밀 빛깔 말이야."

여우는 잠시 말을 멈추었다가 다시 말하기 시작했다.

"가서 장미꽃들을 다시 한 번 봐. 네가 사랑한 장미꽃은 이 세상에 오직 하나뿐이라는 것을 알게 될 거야."

여우는 어린 왕자가 장미꽃을 만나러 간다고 하자 목

소리를 낮추어 중얼거렸다.

"네가 나한테 작별 인사를 하러 다시 오면 선물로 비밀을 하나 가르쳐 줄게."

어린 왕자는 장미꽃을 만나러 갔다.

"너희는 내 장미꽃하고 달라. 나한테는 너희가 그냥 피어 있는 꽃일 뿐이야. 왜냐하면 난 너희를 길들이지 않았으니까. 여우도 너희와 마찬가지였어. 몇만 마리의 다른 여우와 똑같았지. 그렇지만 난 그 여우를 길들여서 친구가 되었고, 이제 그 여우는 내게 세상에 단 하나밖에 없는 여우가 되었어."

어린 왕자의 말을 들은 장미꽃들은 기분이 상해 어쩔 줄 몰랐다.

어린 왕자는 또 이런 말을 했다.

"너희는 예쁘기는 하지만 속이 텅 비었어. 아무도 너희를 위해 죽어 주지 않으니까 말이야. 물론 내 장미도 지나쳐 가는 사람들에게는 그렇게 보일 수 있지. 하지만 내게는 내 장미꽃 한 송이가 너희 모두를 합한 것보다 더 소중해. 왜냐하면 내가 정성을 들여 가꾼 꽃이니까. 내가 물을 주었고, 유리 덮개를 씌워 바

람을 막아 주었어. 나비를 보게 하려고 애벌레 두세 마리만 남기고 벌레도 잡아 주었어. 나는 장미꽃이 불평하는 소리와 자랑하는 소리를 들어주었고, 때로는 아무 말도 않고 점잖게 있는 것까지도 지켜봐 주었어. 그 장미꽃은 내 장미꽃이었으니까."

어린 왕자는 장미꽃들과 인사를 하고 다시 여우에게 돌아왔다.

"잘 있어."

어린 왕자가 마지막 작별 인사를 하자 여우는 눈물을 글썽이며 말했다.

"잘 가, 어린 왕자. 내가 마지막으로 비밀을 하나 알려 줄게. 이건 아주 간단한 거야. 무엇이든지 마음의 눈으로 볼 때 가장 잘 볼 수 있다는 거야. 가장 중요한

것은 눈에 보이지 않거든."

여우가 이 말을 해 주자 어린 왕자는 잊지 않기 위해 되풀이해서 외쳤다.

"가장 중요한 것은 눈에 보이지 않는다. 가장 중요한 것은 눈에 보이지 않는다……."

"또 있어. 너의 별에 핀 장미꽃이 그토록 소중한 것은 그 꽃을 위해 네가 많은 시간을 보냈기 때문이지. 그래서 네 장미꽃이 그렇게 소중하게 된 거야."

어린 왕자는 여우가 가르쳐 준 말을 계속해서 따라 외웠다.

"내가 내 별에 핀 장미꽃을 위해 시간을 보냈기 때문에 그 장미꽃이 소중한 거다……."

"사람들은 언제나 중요한 사실을 잊고 있어. 하지만 넌 그걸 잊어선 안 돼. 네가 길들인 것에 대해서는 언제나 책임을 져야만 한단다. 너는 네 장미꽃에 대해 책임이 있어……."

"난 내 장미꽃에 대해 책임이 있다……."

어린 왕자는 여우의 말을 새겨 두기 위해 몇 번이고 되풀이해서 말했다.

22

"안녕하세요?"

어린 왕자가 인사했다.

"안녕?"

철도 신호수가 말했다.

"여기서 무엇을 하고 있는 거지요?"

어린 왕자가 물었다.

"나는 기차에 손님을 1000명씩 태우고 있지. 그리고 손님들을 태운 기차를 오른쪽으로 보내기도 하고 때로는 왼쪽으로 보내기도 한다."

그때 불이 환하게 켜진 급행열차가 천둥 치는 것처럼 요란한 소리를 내며 조종실을 마구 흔들었다.

"모두 바쁜 사람처럼 보여요. 저 사람들은 무엇을 찾으러 가나요?"

어린 왕자가 신호수에게 물었다.

"나도, 그들 자신도 그걸 모른단다."

그러자 이번에는 반대 방향에서 불을 환하게 켠 두 번째 급행열차가 우르릉거리며 지나갔다.

"조금 전에 떠났던 사람들이 벌써 돌아오는 건가요?" 어린 왕자가 물었다.

"그 사람들이 아니라 두 대의 기차가 서로 자리를 바꾸는 거지."

"자기들이 있던 곳이 마음에 안 들었나 봐요?"

"누구든 자기가 있는 곳에 만족하는 사람은 없단다." 신호수가 모든 것을 다 아는 사람처럼 말했다.

세 번째 급행열차가 요란한 소리를 내며 지나갔다.

"저 사람들은 첫 번째 급행열차의 손님들을 쫓아가는 걸까요?"

"누구를 쫓아가고 있는 게 아니야. 그들은 차 안에서 졸고 있거나 아니면 하품을 하고 있겠지. 그리고 아이들만이 유리창에다 코를 비벼 대며 밖을 내다보고 있을 거야."

"아이들만이 자신이 무엇을 찾고 있는지 알고 있어요. 많은 시간 동안 헝겊 인형을 가지고 논 아이들만이 그 인형을 소중하게 생각하지요. 만일 누가 그 인형을 빼앗아 버린다면 아이들은 모든 것을 다 빼앗긴 듯이 울어 버릴 거예요."

어린 왕자는 여우가 가르쳐 주었던 것들을 떠올리며 말했다.

"그 아이들이 바로 행복한 사람들이지."

신호수는 담담하게 말했다.

23

"안녕?"

어린 왕자가 먼저 말했다.

"안녕!"

이번에는 상인이 대답했다. 그 상인은 갈증을 없애
주는 알약을 파는 사람이었다. 그 알약을 일주일에 한
알씩 먹으면 갈증을 느끼지 않는다는 것이었다.

"아저씨는 왜 그 약을 팔아요?"

어린 왕자가 상인에게 다가가 물었다.

"시간을 절약할 수 있기 때문이란다. 전문가들의 계
산에 의하면 일주일에 53분이나 절약된다는구나."

"그럼 그 53분으로 무엇을 하나요?"

어린 왕자는 이유를 모르겠다는 표정으로 상인에게
다시 물었다.

"하고 싶은 일을 하지."

상인이 대답했다.

'만일 나에게 53분의 여유가 있다면 샘을 향해 천천히 걸어갈 텐데…….'
어린 왕자는 생각했다.

★24

비행기가 어딘지 모르는 사막 한가운데서 고장 난 지 여드레째 되던 날이었다. 마지막 남은 물을 마시면서, 알약을 파는 상인의 이야기까지 들은 나는 어린 왕자에게 이렇게 말했다.

"참 아름답고 재미있는 이야기로구나. 하지만 나는 아직 고장 난 비행기를 고치지 못했고, 마실 물조차 한 방울도 남아 있지 않단다. 샘이 있는 데로 천천히 걸어갈 수 있다면 좋겠다."

"하지만 내 친구 여우가……."

"애야, 지금은 여우 이야기나 하고 있을 때가 아닌 것 같다."

"왜?"

"물이 떨어졌거든. 우린 목이 말라 죽게 될 거야."

그러나 어린 왕자는 내 말을 알아듣지 못하고 이렇게 말했다.

"죽게 되더라도 친구가 있다는 건 좋은 일이야. 난 여우를 친구로 갖게 되어서 얼마나 기쁜지 몰라."

천진난만한 어린 왕자의 표정을 보면서 나는 이런 생각이 들었다.

'이 애는 지금 상황이 얼마나 위급한지 모르는구나. 먹을 것 입을 것이 하나도 없어도 햇빛만 조금 있으면 그만이니까.'

그러나 어린 왕자는 나를 보더니 내 생각을 알고 있다는 듯이 말했다.

"나도 목이 말라. 그러니까 우리 샘을 찾으러 가."

나는 그만 맥이 탁 풀렸다. 이 끝없는 사막 한가운데에서 샘을 찾아 나선다는 것은 정말 바보 같은 짓이었다. 그래도 우리는 걷기 시작했다.

몇 시간 동안 아무 말도 하지 않고 걷고 또 걸었다. 어느새 해가 지고 별이 반짝거렸다.

나는 너무 목이 말랐다. 얼굴에서는 열이 났고, 별들이 꿈결처럼 아득하게 보였다. 어린 왕자가 했던 말들이 가물가물해서 제대로 기억나지 않았다.

"너도 목이 마르니?"

내가 물었지만 어린 왕자는 내 물음에는 대답하지 않고 이런 말을 했다.

"물은 마음에도 좋을 수 있어."

나는 어린 왕자가 무슨 말을 하는지 알아들을 수가 없었지만 입을 꼭 다물고 가만히 있었다.

지금까지의 경험으로 보아 어린 왕자에게 무엇을 물어본다는 것이 아무 소용없는 일임을 알고 있었기 때문이었다.

험한 길을 걸어온 어린 왕자는 지쳐서 주저앉았다. 나도 그 곁에 조용히 앉았다. 한참 동안 아무 말 않고 앉아 있던 어린 왕자가 입을 열었다.

"별은 아름다워. 그건 어느 별엔가 보이지 않는 꽃 한 송이가 있기 때문이야."

"그래, 그렇고말고⋯⋯."

내가 대답했다. 그러고 나서 나는 달빛 아래 펼쳐진 주름 진 모래 언덕만 멍하니 바라보았다.

"사막은 아름다워."

어린 왕자는 이렇게 덧붙여 말했다.

그건 정말이었다.

나는 사막을 좋아했다. 모래 언덕 위에 앉아 있으면 아무것도 보이지 않고, 아무 소리도 들리지 않았다. 나만의 시간과 공간이었다. 그 고요한 시간이 나는 너무나 좋았다. 그런데 그 고요함 속에 무엇인가 조용히 빛나고 있었다.

"사막이 아름다운 것은 그 어딘가에 샘을 숨기고 있기 때문이야."

어린 왕자가 중얼거렸다.

나는 그제야 이 모래 속에서 신비롭게 빛나는 것이 무엇인가를 이해하게 되었다.

내가 어렸을 때 살던 집은 매우 낡고 오래된 집이었다. 그런데 그 집에는 보물이 묻혀 있다는 이야기가 전해 내려왔다. 물론 보물을 발견한 사람은 아무도 없었고, 또 보물을 찾아내려고 하는 사람도 없었다. 그러나 그 묻혀 있는 보물 때문에 우리 집은 아름답게 느껴졌다. 그 낡은 집 깊숙한 곳에 찬란한 비밀이 감추어져 있었으니까…….

"그래, 집이든 별이든 사막이든 그것들을 아름답게 하는 것은 감춰져 있어. 눈에 보이지 않는 거란다."

내가 중얼거리는 소리를 듣고 어린 왕자가 말했다.

"아저씨가 내 친구 여우하고 같은 생각을 하고 있어서 기뻐."

어린 왕자는 스르르 눈을 감더니 잠이 들었다. 잠든 얼굴이 무척 천진해 보였다.

나는 잠이 든 어린 왕자를 안고 다시 길을 걷기 시작했다. 가슴이 찡해 왔다. 그것은 마치 깨지기 쉬운 보물을 안고 가는 듯한 느낌이었다. 이 세상 어디에도 이보다 더 소중한 것은 없을 것 같았다. 달빛에 비치는 어린 왕자의 하얀 이마, 감긴 눈, 바람에 나부끼는 머리카락을 보면서 나는 생각에 잠겼다.

'내가 지금 보고 있는 것은 오직 껍데기에 불과해. 가장 중요한 것은 눈에 보이지 않는다.'

나는 나도 모르게 어린 왕자가 하던 말을 그대로 따라 하고 있었다.

어린 왕자의 반쯤 벌어진 입가에 미소가 번지는 것을 보며 나는 또다시 생각에 잠겼다.

'잠든 어린 왕자가 이렇게 깊게 내 마음을 감동시키는 것은 꽃 한 송이에 대한 그의 성실함 때문이야. 어

린 왕자가 잠들어 있는 순간에도 그의 꽃 한 송이는 등불처럼 빛을 내며 그의 마음 안에 살아 있는 거야.'

나는 어린 왕자가 더욱 가엾게 느껴졌다.

어떻게든 어린 왕자를 지켜 주고 싶었다. 그의 마음 속에 있는 등불이 한 줄기 바람에 꺼질지도 모르기에 가려 주고 싶었다.

그렇게 한없이 걸어가다가 해가 뜰 무렵, 나는 마침 내 우물을 발견했다.

"사람들은 어디로 가야 할지, 무엇을 해야 할지도 모
르면서 그저 급행열차를 타려고만 해. 그래서 정작
기차를 타고 나서는 불안해하면서 갈팡질팡하고 빙
빙 제자리만 돌게 되는 거야."

어린 왕자는 이렇게 말하고는 가만히 있더니, 잠시
후에 다시 말을 이었다.

"그건 아무 소용 없는 짓인데도 말이야……."

우리가 찾아낸 우물은 사하라 사막에 있는 다른 우물
들하고는 달랐다. 사하라 사막에 있는 다른 우물들은
그저 모래에 구멍을 파 놓은 것뿐이었다.

그런데 우리가 발견한 우물은 사람이 사는 마을에 있
는 우물과 같았다. 사막 한가운데에 마을 같은 곳은 없
었으므로 나는 마치 꿈을 꾸고 있는 것만 같았다.

"이상하군. 사막 한가운데에 도르래와 두레박, 밧줄
까지 갖춰져 있는 우물이 있다니."

어린 왕자는 내 말을 들으며 빙그레 웃고는 두레박 밧줄을 잡고 도르래를 돌려 보았다. 오랫동안 움직이지 않고 있던 낡은 풍차가 돌아갈 때처럼 삐걱거리면서 도

르래가 움직였다.

"아저씨, 들어 봐. 우리가 이 우물을 깨우니까 우물이 노래를 하고 있어."

나는 어린 왕자에게 밧줄을 움직이는 따위의 힘든 일을 시키고 싶지 않았다.

"내가 할게. 너에게는 너무 힘든 일이야."

나는 천천히 두레박을 끌어올려 우물 귀틀 위에다 떨어지지 않게 잘 올려놓았다. 하지만 그런 뒤에도 내 귓가에는 도르래의 노랫소리가 들려왔고, 출렁거리는 물 속에서 반짝이는 햇살이 보였다.

"난 그 물이 마시고 싶었어. 물 좀 줘."

어린 왕자가 말했을 때, 그제야 비로소 나는 그가 무엇을 찾고 있었는지 알았다. 나는 두레박을 들어 어린 왕자의 입술에 대 주었다. 어린 왕자는 눈을 감고 물을 마셨다. 그 물은 보통 물하고는 달랐다.

별빛 아래를 어린 왕자와 내가 지치도록 걸어서 어렵게 찾아낸 것이었고, 도르래의 노래에 맞추어 내가 두 팔로 직접 길어 얻은 것이었다. 그것은 사람들을 기쁘게 하는 선물 같은 것이었다. 그것은 마치 내가 어렸을 때, 크리스마스트리의 불빛이 켜져 있고, 자정 미사 음악이 은은하게 들려오고, 사람들은 서로 미소 짓는 얼굴로 바라보고 있는 가운데, 내가 받았던 크리스마스 선물의 신비로움 같은 것이었다.

"지구에 사는 사람들은 한 정원에서 5000송이나 되는 장미꽃을 키우고 있지만, 거기에서 정말 자신들이 원하는 것은 찾아내지 못하고 있어."

어린 왕자가 말했다.

"그래, 맞아. 사람들은 찾지 못하지……."

"그들이 찾고 있는 것을 단 한 송이 장미꽃에서도, 한 모금의 물에서도 찾아낼 수 있는데도 말이야."

"그래."

나는 조용히 대답했다.

"그런 건 눈에는 보이지 않아. 마음으로 찾아야 하는 거지."

어린 왕자가 말했다.

나는 물을 마셨다. 그러고 나서 한숨을 쉬었다. 새벽녘, 사막의 모래는 떠오르는 아침 햇살을 받아 맑고 투명한 노란빛이었다. 나는 그 모래의 빛깔에서도 작은 행복을 느꼈다.

"아저씨, 약속을 지켜 줘."

어린 왕자는 살며시 내 옆에 앉으며 상냥하게 말했다.

"무슨 약속?"

"아이, 아저씨는! 양에게 굴레를 그려 주겠다고 약속했잖아. 나는 내 꽃을 책임져야 해."

그래서 나는 주머니에 넣어 두었던 그림들을 꺼냈다. 어린 왕자는 내가 꺼내 준 그림들을 보더니 깔깔 웃으며 말했다.

"아저씨가 그린 바오바브나무 말이야. 그건 꼭 양배추 같아."

"그래?"

어린 왕자의 말에 나는 기분이 좀 상했다. 사실 나는 바오바브나무 그림을 은근히 자랑스럽게 생각하고 있었다.

"여우는 귀가 뿔처럼 생겼어. 그리고 너무 길어!"

어린 왕자는 말을 하면서 또 웃었다.

"너무하는구나. 사실 난 지금까지 속이 보이거나 속이 보이지 않는 보아 뱀 이외에는 그림을 그려 본 적이 없는걸."

나는 어린 왕자가 내 그림을 보고 웃는 것에 약이 올라서 투덜거렸다.

"그래도 괜찮아. 어른들은 그림을 알아보지 못해도 아이들은 다 알아볼 수 있으니까."

그래서 나는 다시 연필로 양에게 씌울 굴레를 그렸다. 정성을 다해 그린 그림을 어린 왕자에게 주는 순간

마음속에 무언가가 가득 차오르는 것이 느껴졌다.

"나는 도무지 네가 무슨 생각을 하고 있는지 알 수가 없구나."

그러나 어린 왕자는 내 말에는 대답을 하지 않고 잠 자코 있더니 이렇게 말했다.

"내일은 내가 지구에 온 지 일 년째 되는 날이야."

그리고 잠시 말을 멈추었다가 다시 말했다.

"바로 요 근처에 떨어졌었어."

어린 왕자가 조용히 말했다. 붉어지는 그의 얼굴을 보자 나도 왠지 슬퍼졌다. 그때 문득 어린 왕자에게 물 어보고 싶은 질문이 생각났다.

"그럼 일주일 전 내가 너를 처음 만났던 날 아침에, 네가 사람이 사는 곳에서 수천 마일 떨어진 사막을 혼자 거닐고 있었던 건 우연이 아니었구나. 네가 처 음 지구에 도착했던 곳으로 되돌아가는 길이었니?"

어린 왕자는 얼굴을 붉혔다.

나는 한참을 망설이다가 다시 물어보았다.

"네가 이곳에 온 지 일 년이 되었기 때문에 그러는 거 니?"

어린 왕자는 한 번 더 얼굴만 붉힐 뿐 내가 묻는 말에 대답하지 않았다. 하지만 나는 그의 붉어진 얼굴을 보고 그렇다는 걸 알 수 있었다.

"겁이 나는구나."

그러나 어린 왕자는 이렇게 대답했다.

"아저씨는 비행기를 고쳐야 하니까 비행기 있는 곳으로 가. 난 여기 있을게. 그리고 내일 저녁에 다시 와. 기다릴게."

그러나 나는 마음이 놓이지 않았다. 어린 왕자가 말했던 여우가 생각났다. 길들여지면 누구나 헤어질 때 울게 되기 때문이다.

⭐ 26

 우물 옆에는 무너진 낡은 돌담이 있었다.

 다음 날 저녁, 일을 마치고 어린 왕자가 기다리고 있
는 우물에 가 보니, 허물어진 돌담 위에 어린 왕자가 다
리를 늘어뜨리고 걸터앉아 있는 것이 멀리서도 보였다.
어린 왕자는 누군가와 이야기를 나누고 있었다.

 "그러니까 생각이 안 난다는 말이야? 절대 여기가 아
니라니까."

 어린 왕자는 돌담 저편에 있는 누군가와 이야기를 하
는 것 같았다.

 "오늘이 바로 그날이야. 하지만 날짜는 맞지만 장소
는 여기가 아니야."

 돌담 저편에서 뭐라고 대답하는 모양이었다.

 나는 돌담 반대쪽으로 갔지만 아무것도 보이지 않았
고, 아무 소리도 들리지 않았다.

 그러나 어린 왕자는 다시 말을 건네고 있었다.

"모래 위에 내 발자국이 어디서 시작되었는지 봐 둬. 거기서 나를 기다리고 있으면 돼. 오늘 밤에 내가 거기로 가 있을 테니까."

나는 담에서 20미터쯤 떨어진 곳에서 지켜보고 있었지만 아무것도 보이지 않았다.

잠시 가만히 있던 어린 왕자가 다시 말했다.

"너는 좋은 독을 가지고 있겠지? 날 오랫동안 아프지 않게 할 자신 있어?"

나는 가슴이 덜컥 내려앉아 그 자리에서 걸음을 멈췄다. 그러나 무슨 말인지는 잘 알아채지 못했다.

"그럼 이젠 가 봐. 나 내려가고 싶어."

그제야 돌담 밑을 내려다본 나는 깜짝 놀랐다. 거기에는 30초 만에 사람을 죽일 수 있는 노란 뱀 한 마리가 어린 왕자를 향해 머리를 세우고 있었다. 나는 권총을 꺼내려고 주머니를 뒤적거리며 뛰기 시작했다. 발소리를 들은 뱀은 스르르 모래 위를 빠르게 기어갔다. 내가 돌담 밑에 닿았을 때는 뱀은 벌써 돌 틈으로 사라져 버렸다.

나는 하얀 눈같이 창백해진 어린 왕자를 품에 안으며

물었다.

"도대체 어떻게 된 거니? 뱀하고 이야기를 하다니?"

나는 어린 왕자가 한 번도 푼 적이 없는 금빛 목도리를 풀어 주고, 물을 먹였다.

나는 어린 왕자에게 아무것도 더 물어볼 수 없었다. 어린 왕자는 힘없이 나를 쳐다보며 양팔로 내 목을 끌어안았다. 그의 가슴이 놀란 작은 새처럼 팔딱팔딱 뛰고 있었다.

"아저씨가 고장 난 비행기를 고치게 되어서 기뻐. 이제 아저씨는 돌아갈 수 있게 되었지?"

"그걸 어떻게 알았니?"

나는 깜짝 놀랐다. 나는 어린 왕자의 말대로 고치지 못할 것 같던 비행기를 다 고쳤고, 그래서 어린 왕자에게 그 사실을 알려 주려고 서둘러 왔던 것이다.

어린 왕자는 내 물음에는 대답하지 않았다.

"나도 오늘 우리 집으로 돌아가. 내가 가는 길은 훨씬 멀고 더 힘들 거야."

어린 왕자가 쓸쓸한 목소리로 말했다.

나는 곧 어린 왕자에게 무슨 일이 생겼다는 걸 깨닫

고 어떻게든 위로해 주고 싶었다. 그래서 어린 왕자를 아기처럼 꼭 껴안았다.

그러나 어린 왕자는 내가 붙잡을 새도 없이 끝없는 구멍으로 빠져 들어가는 것만 같았다.

어린 왕자는 아득히 먼 하늘을 바라보았다.

"나한테는 아저씨가 준 양이 있어. 양을 넣어 두는 상자랑 굴레도 있고."

어린 왕자의 쓸쓸한 웃음 속에 눈물이 어리는 것 같았다. 나는 가만히 기다리고 있었다. 어린 왕자의 몸이 조금씩 따뜻해지는 게 느껴졌다.

"그래, 얼마나 무서웠니?"

당연히 무서웠을 테지만 어린 왕자는 상냥하게 웃으며 대답했다.

"오늘 밤이 더 무서울 거야."

그때 나는 무시무시한 일이 일어날 것 같아 등골이 싸늘해졌다. 그리고 다시는 어린 왕자의 환한 웃음소리를 듣지 못하게 되리라는 사실을 깨달았다. 지금까지 나에게 어린 왕자의 웃음소리는 사막을 흐르는 샘과 같은 것이었다.

"네 웃음소리를 더 듣고 싶구나."

내 마음과는 달리 어린 왕자는 이렇게 말했다.

"오늘 밤이면 일 년이 돼. 오늘 밤에 내 별은 작년에 내가 내려왔던 바로 그 자리 위로 돌아올 거야."

나는 어린 왕자와 헤어지는 게 싫어서 이렇게 물었다.

"너, 지금 꿈 이야기를 하는 거지? 별이니 꽃이니 뱀이니 하는 이야기는 있지도 않은 거지? 그렇지?"

어린 왕자는 내 물음에 대답하지 않았다.

"중요한 건 눈에 보이지 않아."

"암, 그렇지."

"꽃도 마찬가지야. 아저씨가 어느 별에 있는 꽃을 좋아하면 밤에 하늘을 쳐다보는 게 참 행복할 거야. 어느 별이나 다 꽃이 피어 있으니까."

"그렇겠지."

"그리고 물도 마찬가지야. 아저씨가 내게 먹여 주었던 물은 음악 같았어. 도르래하고 밧줄 때문에 말이야. 아저씨도 생각나지? 그 물맛이 얼마나 시원하고 달콤했는지."

"그래, 생각나."

나는 그때를 생각하며 하늘을 올려다보았다.

"아저씨, 밤이 되면 별을 바라봐. 나의 별은 너무 작아서 어디에 있는지 아저씨에게 가르쳐 줄 수가 없지만, 그게 더 나을 거야. 아저씨는 많은 별들 중에서 어느 한 별이 내가 살고 있는 별이라고 생각할 테니까 말이야. 그러면 아저씨는 별을 바라보는 것을 좋아하게 될 거고, 그러면 별들은 모두 아저씨의 친구가 되는 거지. 그리고 내가 아저씨한테 선물을 하나 줄게."

어린 왕자는 그렇게 말하고는 환하게 웃었다.

"아, 애야. 내가 너의 그 환한 웃음을 얼마나 좋아하는지 아니?"

"맞았어. 그게 바로 내가 주는 선물이야. 이건 우리가 마셨던 물과 같은 거지."

"무슨 뜻이지?"

나는 어린 왕자의 말뜻을 얼른 알아듣지 못해 다시 물었다.

"사람에 따라서 별이 갖는 의미도 달라. 여행하는 사람들에게는 별이 길잡이가 되지만, 어떤 사람들에겐 그저 하늘에서 반짝이는 조그만 빛일 뿐이기도 해.

학자들에겐 별이 연구의 대상으로 보일 테고, 내가 말했던 사업가에겐 금처럼 보이기도 하겠지. 그렇지만 별들은 아무 말도 안 해. 아저씨는 다른 사람들이 알고 있는 그런 별들을 갖게 되진 않을 거야. 다른 사람들이 별들을 보는 것과는 다른 의미로 별들을 보게 될 테니까."

어린 왕자는 점점 어려운 말만 했다. 나는 답답해서 견딜 수가 없었다.

"그게 무슨 말이니?"

"내가 저 많은 별 중 하나에서 살고 있을 테고, 그 별 중 하나에서 웃고 있을 테니까. 아저씨가 밤에 하늘을 쳐다보게 되면 모든 별이 아저씨에게 웃어 주는 걸로 보일 거야. 그러니까 아저씨는 웃음을 나눌 수 있는 혼자만의 별을 갖게 되는 거지."

어린 왕자는 또 환하게 웃었다.

"그리고 견딜 수 없는 슬픔도 시간이 가면 다 잊게 마련이야. 아저씨가 슬픔을 잊어버리면, 그때는 나를 알게 되었다는 것을 기쁘게 생각할 거야. 아저씨는 언제까지나 내 친구로 남아 있을 테니까. 그러면 나와 함께 웃고 싶어서 괜히 창문을 열기도 하겠지."

어린 왕자도 무척 아쉬워하고 있었다. 헤어진다는 것은 누구에게나 그다지 즐거운 일이 아니니까……

"아저씨가 하늘을 보며 웃으면 아저씨 친구들은 이상하게 생각할 거야. 그러면 아저씨는 이렇게 말하겠지. '별들을 보면 난 항상 웃음이 나와.' 라고 말이야. 아마 친구들은 아저씨가 미친 줄 알 거야. 그렇게 되면 난 아저씨에게 아주 못할 짓을 하게 되는 셈이네."

어린 왕자는 다시 웃었다.

"내가 아저씨한테 별 대신 웃을 줄 아는 조그만 방울들을 잔뜩 준 거니까 말이야."

그리고 어린 왕자는 또 한 번 웃더니 금방 얼굴이 굳어졌다. 그러고는 침울하게 말을 이었다.

"아저씨, 오늘 밤엔 내게 오지 마."

"난 네 곁을 떠나지 않아."

나는 정말 어린 왕자 곁을 떠날 수 없었다.

"나는 조금 아픈 것처럼 보일 거야. 아니, 어쩌면 죽는 것처럼 보일지도 몰라. 그걸 보러 오지 말란 말이야. 올 필요 없어."

"다시 말하지만, 난 네 곁을 떠나지 않을 거야."

그러자 어린 왕자는 걱정되는 표정으로 말했다.

"이런 말을 하는 것은 뱀 때문이야. 아저씨가 뱀한테 물리면 어떻게 해? 뱀은 무척 사나워. 괜한 심통을 부려서 사람을 물기도 하거든."

하지만 어떤 위협도 나의 결심을 꺾을 수는 없었다.

"어쨌든 난 네 곁을 떠나지 않을 거야."

무슨 생각이 들었는지 잠시 후 어린 왕자는 조금 안심이 되는 표정으로 말했다.

"하긴 뱀은 두 번째 물 때는 독이 없다고 했어."

그날 밤, 어린 왕자가 떠나는 것을 나는 알지 못했다. 어린 왕자가 소리도 없이 살그머니 빠져나간 것이었다. 내가 뒤쫓아 갔을 때 어린 왕자는 빠른 걸음으로 걸어가고 있었다.

어린 왕자는 나를 보자 반가워하며 말했다.

"아! 아저씨 왔어?"

어린 왕자는 여전히 근심스러운 눈빛으로 내 손을 꼭 잡았다.

"오지 않는 것이 좋았을걸. 아저씨 마음이 아플 텐

데……. 아저씨 눈에 난 죽는 것처럼 보이겠지만 사실은 그게 아니야."

나는 어린 왕자가 하는 말을 조용히 듣고 있었다.

"내 별은 여기서 너무 멀어. 내 몸을 가지고 갈 순 없어. 몸은 너무 무겁거든. 그래서 내 몸을 버리려고 해. 아저씨에게는 내가 죽는 것처럼 보일지도 몰라."

나는 아무 말도 하지 않았다.

"몸은 껍데기에 지나지 않아. 그러니까 껍데기를 버린다고 해서 슬플 건 없어."

어린 왕자가 말했다.

어린 왕자는 힘없이 주저앉았다가 다시 일어섰다.

"아, 아저씨, 이건 얼마나 멋진 일일까? 내가 별들을 쳐다보고 있으면 모든 별이 녹슨 도르래가 달린 우물이 되어 내게 물을 먹여 주겠지……."

나는 어린 왕자의 말을 가만히 듣기만 했다.

"그것 참 재미있겠다! 아저씨는 5억 개나 되는 웃음 방울을 가지고 있고, 난 5억 개나 되는 우물을 가지고 있는 거잖아."

여기까지 말하고 어린 왕자는 입을 다물었다. 눈물을

떨어뜨리며 울고 있었던 것이다.

어린 왕자가 말했다.

"나 혼자서 한 발짝만 내딛게 해 줘."

하지만 어린 왕자는 겁이 나는지 주저앉았다.

"아저씨, 내 꽃 말이야. 난 내 꽃한테 책임이 있어. 그 꽃은 너무나 약하고 너무나 순진해. 신통찮은 가시 네 개로 세상으로부터 자기를 보호할 수 있다고 생각 하고 있으니까. 그 꽃을 지켜 줘야 하는데……."

나도 더 이상 서 있을 수가 없었다. 그냥 그 자리에 주 저앉았다.

"자, 이게 다야. 이젠 더 이상 말할 게 없어. 어서 가!"

어린 왕자는 잠시 망설이다가 몸을 일으켜 세웠다. 그러고는 한 발짝 앞으로 걸어갔다.

하지만 나는 그 자리에서 꼼짝할 수가 없었다. 그때 어린 왕자의 발목에서 한 줄기 노란빛이 반짝 빛났다. 어린 왕자는 잠시 꼼짝하지 않고 그대로 서 있었다. 소 리를 지르지도 않았다. 그리고는 한 그루 나무가 쓰러 지듯, 어린 왕자는 조용히 쓰러졌다. 모래 때문에 소리 조차 들리지 않았다.

☆ 27

이 이야기는 지금으로부터 6년 전의 일이다. 나는 아직 아무에게도 어린 왕자에 대한 이야기를 한 적이 없다. 내 친구들은 내가 살아 돌아온 것을 기뻐했지만 나는 슬픔에 젖어 있었다. 그리고 그때마다 나는 '너무 피곤해서.' 하며 핑계를 대곤 했다.

지금도 그 슬픔이 다 가시진 않았지만, 어린 왕자가 자기 별로 돌아갔다는 것을 나는 알고 있다. 그다음 날, 날이 밝았을 때 어디에서도 어린 왕자의 몸이 발견되지 않았으니까. 이런 이유 때문에 나는 밤이면 별들의 소리에 귀를 기울이는 걸 좋아한다. 그것은 5억 개의 웃음 방울에서 울려 퍼지는 소리이다.

그런데 정말 큰일이다. 내가 어린 왕자의 부탁을 받고 양에게 씌울 굴레를 그려 주었을 때, 거기에 가죽 끈을 달아 주는 것을 깜박 잊은 것이다. 그러니 어린 왕자는 양에게 굴레를 영 씌우지 못했을 것이다. 그래서 나는 지금도 종종 이런 생각을 한다.

'어린 왕자의 별에서는 무슨 일이 벌어졌을까? 양이 꽃을 먹어 버렸는지도 모르지.'

그러다 또 이런 생각도 한다.

'별일 없겠지. 어린 왕자가 밤마다 꽃에게 유리 덮개를 씌우고 양을 지킬 테니까.'

어린 왕자를 생각하면 나는 아주 행복해진다. 하늘의 별을 쳐다보면 별들은 모두 나를 보며 조용히 웃고 있다. 그런데 가끔 이런 생각이 들기도 한다.

'사람이란 어쩌다 한 번쯤은 잊어버릴 수도 있지. 어느 날 저녁, 어린 왕자가 유리 덮개 씌우는 것을 깜박 잊었다면, 그래서 양이 밤에 소리 없이 나가기라도 했다면 모든 게 다 끝나 버리고 말 텐데……'

그러면 방울들은 모두 눈물로 변할 것이다.

어린이 여러분, 하늘을 보세요. 그리고 양이 장미꽃을 먹었는지 안 먹었는지 한번 생각해 보세요. 생각하기에 따라 그 일이 세상의 모든 것을 얼마나 달라지게 하는지 느끼게 될 것입니다. 하지만 어른들은 그것이 얼마나 중대한 일인지 이해하지 못할 것입니다.

나에게는 옆에 있는 그림이 세상에서 가장 아름답고도 쓸쓸한 풍경이랍니다. 앞장에서 나온 것과 똑같은 풍경이지만, 여러분에게 확실히 보여 주려고 다시 한 번 그린 것이지요. 어린 왕자가 지구에 나타났다가 사라져 버린 곳이 바로 이곳입니다.

이 풍경을 잘 보아 두세요. 여러분이 아프리카 사막을 여행하게 되면 그곳을 확실히 알 수 있도록 말입니다. 그리고 그곳을 지나가게 되면 너무 빨리 지나가지 말고 별 아래에서 조금만 기다리세요.

그러면 무엇을 물어보아도 대답하지 않는 어떤 아이가 금빛 머리를 나부끼며 여러분 앞에 다가와 환하게 웃을 것입니다.

여러분은 그 애가 누군지 금방 알아볼 수 있겠지요?

그다음에는 저에게 친절을 베풀어 주세요. 이렇게 슬퍼하는 저를 모른 체하지 말고, 저에게 어린 왕자가 돌아왔다고 이내 편지 좀 보내 주세요…….

사고력 쑥쑥, 창의력 쑥쑥

재미있는 논술

작가 알기

작가의 생애를 알면 상식이 풍부해집니다. 그뿐만 아니라

작품을 보다 깊이 있게 이해하는 데에도 도움을 주지요.

이 작품을 쓴 작가는 어떠한 삶을 살았는지 한번 들여다 볼까요?

생텍쥐페리 (1900 ~1944)

프랑스 리옹에서 태어난 생텍쥐페리(Antoine-Marie-Roger de Saint-Exupery)는 프랑스의 대표적인 소설가입니다. 그는 12세에 당시의 유명한 비행가 베를린이 조종하는 비행기에 함께 탈 기회를 얻었는데, 그 이후 작가가 되려는 원래의 꿈과 함께 비행사가 되고 싶다는 꿈도 갖게 되었지요.

그는 19세에 파리 미술학교 건축과에 들어갔습니다. 후에 그가 〈어린 왕자〉의 삽화를 직접 그릴 수 있었던 것은 여기서 한 미술 공부 덕분이라고 합니다. 21세 때에 미술학교를 그만두고 군에 들어가 군용기 조종사가 되었으나, 23세에 사고로 중상을 입고 군을 제대하여 회사원이 되었습니다. 그러나 비행사의 꿈을 버리지 못하

던 그는 26세에 민간 항공사에 입사해 우편 비행기의 조종을 맡았습니다.

그리고 작가가 되려는 또 하나의 꿈을 품고 있던 생텍쥐페리는 27세에 첫 소설 〈비행사〉를 발표했고, 이후에도 비행기 조종사로서 겪은 여러 가지 체험을 소설에 담았습니다. 그래서 〈야간비행〉(1931)과 〈인간의 대지〉(1939) 등 그가 발표한 작품들 대부분에는 동료 비행사들을 모델로 한 인물들이 나오지요.

1939년에 제2차 세계 대전이 발발하자 그는 대위로 군에 입대합니다. 그러다가 프랑스가 독일에 항복한 뒤에는 뉴욕으로 건너가 〈전시 비행사〉(1942)를 집필하여 발표합니다. 패전한 나라의 조종사가 느끼는 비통한 심정을 그린 이 작품은 미국에서뿐만 아니라 프랑스에서도 출간되었는데, 프랑스를 점령한 독일에 의해 이듬해에는 프랑스 내에서의 판매가 금지되었지요.

1943년에 그는 연합군 정찰 비행단에 들어가지만 비행사 연령 상한선에 이르렀다는 경고를 받고 물러났다가, 끈질긴 설득 끝에 다섯 차례만 출격한다는 조건으로 1944년에 정찰 비행단에 복귀했습니다. 그는 약속보다 많은 여덟 차례의 정찰 비행을 한 뒤에도 계속 출격을 고집하여 주위 사람들을 난처하게 했고, 결국 1944년 7월 31일에 마지막 출격이라는 조건으로 정찰기를 몰고 나간 뒤 돌아오지 못했습니다.

줄거리 요약하기

story

책을 읽고 줄거리를 요약하는 것은 논술의 기초입니다.
재미있게 읽은 작품을 간략하고 조리 있게 요약해서 친구들에게
이야기해 보세요. 논술의 기본 실력이 쑥쑥 향상된답니다.

어린 시절에 화가가 되고 싶었던 나는 코끼리를 삼킨 보아 뱀 그림을 아무도 이해해 주지 않자 실망하여 화가의 꿈을 버립니다. 그 후, 어른들이 하라는 공부를 하다가 나중에 비행기 조종사가 되었지요.

어느 날, 비행기 사고로 사하라 사막에 불시착한 나는 그곳에서 어린 왕자를 만납니다. 아주 작은 떠돌이별에서 자존심 강한 장미꽃 한 송이와 함께 살던 어린 왕자는 장미꽃의 투정에 마음이 상해 그 별을 떠나왔지요.

어린 왕자는 여러 별을 여행했습니다. 이 별들은 모두 어린 왕자의 별처럼 아주 작은 떠돌이별이어서 한 사람씩밖에 살고 있지 않았습니다. 그 별들에서 어린 왕자가 만난 사람은 터무니없이 권

위를 내세우는 왕, 남의 찬사를 받기 위해 사는 허영심 가득한 남자, 술을 마시는 게 부끄러워서 그 부끄러움을 잊기 위해 술을 마신다는 술꾼, 모든 별이 자기 것이라며 끊임없이 별의 수를 세고 있는 사업가, 자전 속도가 점점 빨라져 마침내 하루가 1분밖에 안 되는 별에서 가로등을 끊임없이 켰다 껐다 하고 있는 가로등 관리인, 서재에 앉아서 탐험가를 기다리고만 있는 지리학자 등이었습니다. 그들은 하나같이 이상한 어른들이었지요. 그 별들을 거쳐 마침내 왕자는 지구로 오게 되었습니다.

지구에서 어린 왕자가 처음 만난 것은 뱀이었습니다. 뱀은 어린 왕자에게 언제든 왕자가 자신의 별로 돌아가고 싶어지면 자기가 도와주겠다고 말하지요. 왕자는 혼자 사막을 헤매다가 수많은 장미꽃이 피어 있는 정원을 발견합니다. 왕자는 세상에 하나밖에 없는 꽃이라고 생각했던 장미꽃이 실은 너무도 흔한 꽃이었다는 데 실망하여 눈물을 흘립니다.

그러다가 어린 왕자는 여우를 만났습니다. 여우는 어린 왕자에게 '길들인다는 것'이 무엇이며 얼마나 소중한 일인지, 또 그에 따르는 책임이 어떤 것인지를 가르쳐 주지요. 또 '잘 보려면 눈이 아니라 마음으로 보아야 한다.'라는 것도 가르쳐 줍니다.
그래서 어린 왕자는 자신의 장미꽃이 정원의 수많은 장미꽃과 다른, 세상에 단 하나뿐인 꽃임을 알게 됩니다. 정원을 가득 메운 장미꽃들보다 자신과 관계를 맺은 자기 별의 장미꽃 한 송이가 더 소중하다는 것도 알게 되지요. 이제 왕자는 자기 별에 두고 온, 자존심은 강하지만 한없이 약한 장미꽃이 새삼스레 걱정됩니다.

지구에 온 지 꼭 1년째 되는 날, 자신의 별이 지구에 가장 가까이 오는 그날, 어린 왕자는 지구에 처음 도착했던 곳으로 갑니다. 그리고 그곳에서 기다리고 있던 뱀에게 물려 쓰러집니다. 서로를 길들이며 관계를 맺었던 그 약하고 순진한 장미꽃을 책임지기 위해 어린 왕자는 자신의 별로 떠난 것이지요.

나는 밤하늘의 별을 바라볼 때마다 어린 왕자와 장미꽃, 그리고 내가 그려준 양을 생각하며 때로는 행복감에, 때로는 슬픔에 잠깁니다.

작품 **이해하기**

책을 읽고 내용을 정확히 이해하는 것은 매우 중요합니다.

등장인물의 성격과 행동, 사건을 하나하나 짚어 가다 보면 작품에

대한 이해력과 사고력이 쑥쑥 자라납니다.

1. 어린 왕자가 지구에 오기 전에 만난 떠돌이별의 어른들은 모두 이상한 사람들이었습니다. 그들은 각각 어떤 문제점을 갖고 있는지 설명해 보세요.

1) 첫 번째 별에서 만난 왕

첫 번째 별의 왕은 자기가 왕이라는 사실을 자랑스러워하고 항상 왕의 권위를 내세웠지만, 그에게는 신하가 한 명도 없었습니다. 그가 사는 별은 그의 망토로 덮여 있어서, 단 한 명의 신하가 앉을 자리도 없었지요.

망토는 왕의 권위를 나타내는 것이라 볼 수 있습니다. 왕은 권위를 과시하기 위해 별 전체를 덮을 만큼 커다란 망토를 걸치고 있었지만, 아무도 없는 별에서 혼자 왕 노릇을 하면서 자랑스러워한

들 무엇 하겠습니까? 이 외로운 왕에게 정말 필요한 것은 친구일 겁니다.

생텍쥐페리는 이 이야기를 통해서, 자기 권위만을 내세우고 다른 사람과 대등한 관계를 맺지 않으려는 사람에게는 단 한 사람의 친구도 있을 수 없다는 말을 하려는 것이 아닐까요.

2) 두 번째 별에서 만난 허영심 많은 사람

허영심 많은 사람은 세상 모든 사람이 자기를 숭배한다고 믿고 있었습니다. 그는 오직 자기를 칭찬하는 말에만 귀 기울일 뿐, 다른 어떠한 말에도 관심이 없었지요.

어쩌면 여러분은 왕 이야기를 읽을 때에 자기와는 전혀 관계없다고 생각했을지도 모르겠습니다. 권위를 내세우고 다른 사람에게 명령하려고만 드는 것은 주로 어른들이 하는 것이니까요. 하지만 허영심 많은 사람의 이야기를 읽으면서는 좀 다른 느낌이 들었을 것도 같습니다. 남의 시선을 신경 쓰고, 다른 사람의 칭찬과 부러움을 얻기 위해 애쓰는 건 어른들만의 일이 아닐 테니까요.

TV와 인터넷의 영향이 커진 오늘날에는 이런 사람들이 더 많아졌을지도 모르겠네요. 하지만 어린 왕자의 말처럼, 다른 사람의 숭배와 칭찬이 무슨 소용 있겠습니까? 행복은 다른 사람과의 비교에서 오는 것도 아니고, 다른 사람의 말에 따라 변하는 것도 아니겠지요.

술꾼은 자기가 술을 마시고 있다는 게 부끄러워서, 그 부끄러움을 잊기 위해 또 술을 마신다고 말합니다. 술꾼의 말은 참 이상하게 들리지만, 어른들 중에는 이런 사람들이 꽤 많은 것도 같습니다. 바라는 일이 잘 이루어지지 않아서 속상한 마음에 술을 마신다든가, 혹은 실패한 아픔을 달래기 위해서 술을 마신다든가 하는 것 말입니다.

하지만 속상해서 한두 번 술을 마시는 건 그렇다 쳐도, 좌절감 때문에 계속 술을 마시는 건 옳지 않아요. 그런 사람들에게 필요한 것은 실패의 아픔을 잊어버리려고 계속 술을 마시는 일이 아니라, 자기가 바라는 결과를 얻을 수 있도록 노력하는 일이니까요.

이 이야기는 어른들에게만 해당되는 것이 아닙니다. 어린이들이 좋아하는 만화나 게임도 마찬가지겠죠. 예를 들어, 공부가 하기 싫어서 게임을 할 때, 어쩌면 게임에 빠져 있는 동안에는 공부 걱정도, 꾸지람 들을 걱정도 다 잊어버릴지 모릅니다. 어린 왕자가 만난 술꾼처럼 공부 대신 게임에 빠져 있다는 부끄러움이나 걱정, 두려움을 잊기 위해 오히려 게임에 더 열중할 수도 있겠죠.

하지만 거기에 빠져 있는 동안은 달콤할지 몰라도, 그 시간이 길어질수록 현실로 돌아온 뒤에는 더 끔찍한 결과가 기다리고 있겠죠? 이 술꾼의 이야기는 현실로부터 도망치려는 사람들을 깨우쳐 주기 위한 것인지도 모르겠습니다.

사업가는 담뱃불이 꺼진 것도 모른 채 열심히 숫자를 세고, 또 그 숫자들을 더하고 있었습니다. 그는 너무나 바빠서 운동이나 산책도 할 수 없었고, 어린 왕자의 질문 같은 '시시한 일'에 신경 쓸 여유도 없었지요.

이 사업가가 세고 있는 것은 별이었습니다. 그는 자기가 세고 있는 별들이 다 자기의 것이라고 말하지요. 하지만 그 별을 갖고 그가 할 수 있는 일이라는 것은 단지 그것들의 수를 종이에 적어서 서랍에 넣고 잠그는 일뿐이었습니다.

이 사업가에 대한 이야기는 돈을 벌기 위해서 인생의 소중한 것을 허비하는 사람들을 빗댄 것인지도 모르겠습니다. 우리가 살아가는 세상에서는 돈이 필요하지만, 필요 이상의 많은 돈이 반드시 커다란 행복을 가져다 주는 것만은 아닐테니까요.

자기가 쓸 수 있을 만큼의 돈 외에는, 많은 재산이라는 것이 이 사업가가 종이에 적어 놓은 별의 숫자처럼 의미 없는 것인지도 모릅니다. 은행에 맡겨 놓은 돈도 자기가 실제로 쓸 수 있는 액수 이상은 단순한 숫자에 불과할 테니까요. 그것들을 관리하고 계속 불려 나가느라 꽃향기를 맡을 시간도, 남을 사랑할 시간도 없다면, 그건 오히려 불행한 삶을 살게 만드는 것일 뿐이겠지요.

가로등 관리인은 가로등 하나만 있는 별에서 해가 뜨고 질 때마다 가로등을 껐다가 켰다가 하는 일을 반복하고 있었지요. 이 별의 하루도 처음에는 우리의 하루처럼 꽤 길었나 봅니다.

하지만 별의 자전 속도가 점점 빨라져서 마침내 이 별은 1분 만에 한 바퀴를 돌게 되었지요. 가로등 관리인은 이제 아무 의미도 없어진 가로등 켜고 끄기를 1분마다 반복하느라 지쳐 쓰러질 지경이었습니다.

그는 참으로 성실한 사람이었지만, 상황이 바뀌었는데도 그에게 내려진 명령은 바뀌지 않았다는 것이 문제였습니다. 어쩌면 그런 명령 따위는 무시해 버렸어야 하는 것인지도 모르지요. 가로등 관리인은 그에게 내려진 명령이 어리석은 것이라는 점, 또 그가 어리석은 명령을 무시하지 못한다는 점 때문에 불행해졌습니다.

생텍쥐페리는 우리가 살아가는 하루하루가 이 가로등 관리인의 일처럼 의미 없는 일의 반복은 아닌가 하고 묻는 것 아닐까요? 우리 자신의 삶을 가치 있게 만들기 위해 노력하고 삶을 차분히 반성하고 늘 새롭게 변화시키지 않으면, 우리의 일상은 아무런 의미도 없는 어리석은 반복에 불과하게 될지도 모른다는 말입니다. 남들이 하는 대로, 누가 시키는 대로, 그냥 그렇게 아무 생각 없이 살아서는 안 된다는 것입니다.

지리학자는 어린 왕자에게, 자기를 '바다와 강, 도시나 산, 사막이 어디 있는지 알아내는 학자'라고 소개했습니다. 그런데 그 '알아내는' 방법이 좀 이상하죠.

지리학자가 사는 별은 이제껏 어린 왕자가 본 것 중에서 가장 아름다운 별이었습니다. 하지만 그는 자기가 사는 별을 둘러본 적이 한 번도 없었지요. 그래서 그 별에 산이나 바다가 있는지, 사막이나 강이 있는지 전혀 알지 못합니다. 그의 얘기로는, 실제로 돌아다니면서 정보를 얻는 것은 탐험가들이 하는 일이고, 자기는 서재에 앉아서 탐험가들의 말을 듣고 기록하는 사람이라는 겁니다. 지리학자는 자기가 하는 일이 탐험가들이 하는 일보다 더 중요한 일이라 생각하는 듯 우쭐대기도 했습니다.

아마도 이 지리학자에 대한 이야기는, 책상에만 앉아서 세상을 연구하겠다고 하는 학자들을 비꼰 것이라고 할 수 있겠죠. 산이 어디에 있고 강이 어디에 있다는 말을 듣고 기록한다고 해서, 그 산과 강의 아름다움을 어떻게 알 수 있을까요? 체험이 없는 학문은 이 지리학자의 이상한 작업처럼 가치가 없는 것이 될 수 있습니다.

'나'는 어린 시절에 코끼리를 삼킨 보아 뱀 그림을 그렸습니다. 하지만 어른들은 그것이 모자인 줄 알았지요. 어른이 된 후에 만난 사람들도 마찬가지였습니다. 사람들은 누구나 그림의 껍데기만을 볼 뿐, 보아 뱀 속에 든 코끼리는 알아보지 못했지요. 그들은 사람을 대할 때에도 마찬가지였습니다. 소행성 B-612호를 발견한 터키 천문학자의 이야기에서처럼, 사람들은 겉으로 보이는 것에만 관심이 있을 뿐, 그 속에 든 진짜 중요한 것은 보지 못했습니다. 그래서 '나' 역시 사람들에게 카드놀이나 골프, 정치나 넥타이 같은 것들에 대한 얘기를 하며 자신의 껍데기만 보여 줄 뿐, 마음속 깊은 곳은 누구에게도 보여 줄 수가 없었지요.

어른들이 진짜 중요한 것에는 관심이 없고 쓸데없는 숫자에만 관심을 가진다는 이야기도 마찬가지입니다. 마음으로만 느낄 수 있는 것들은 숫자로 나타낼 수 없죠. 사람들이 숫자로 나타낼 수 있는 것들에 집착하는 것은, 이미 마음으로는 아무 것도 볼 수 없기 때문입니다.

한편 어린 왕자는 지구에서 신호수를 만났지요. 신호수는 수많은 사람이 탄 기차에 신호를 보내고 있었습니다. 그는 어린 왕자에게, 급행열차를 타고 어디론가 바쁘게 가고 있는 저 사람들도 자기가 무엇을 찾으러 가는지는 모른다고 말합니다. 또 자기가 있는 곳에 만족하는 사람은 하나도 없다고도 말하지요. 어린 왕자와 신호수의 대화를 통해 생텍쥐페리는, 쫓기듯 바쁘게 살아가지만 실은 진정한 삶의 목표를 잃어버린 현대인의 모습을 보여 주고 있는 것 아닐까요.

또 어린 왕자는 갈증을 없애 주는 알약을 파는 상인도 만났습니다. 일주일에 한 알을 먹으면 갈증을 느끼지 않게 되고, 그래서 매주 물 마시는 시간 53분을 절약하게 된다는 약이죠. 하지만 어린 왕자는 그렇게 절약한 시간에 할 수 있게 되는 '하고 싶은 일'이란 게 대체 뭘까 하는 의문을 품습니다. 사실 사람들은 시간을 절약하려고 애쓰지만, 정작 그렇게 해서 남는 시간이 그들의 삶을 행복하게 해 주지는 못하지요.

이 이야기들을 통해서 생텍쥐페리는 껍데기에 집착하면서 그 어떤 것도 마음으로 볼 수 없게 된 사람들, 그래서 숫자와 돈에만 집착하게 된 사람들, 쫓기듯 바쁘게 살아가지만 무엇을 추구해야 할지 모르게 된 사람들, 무작정 시간을 절약하려고 들지만 정작 절약한 시간을 어떻게 써야 할지를 알지 못하는 우리들의 모습을 돌이켜보게 합니다.

창의력 쑥쑥
키워 주는

생각하고 표현하기

책을 읽고 느낀 점이나 생각한 것을 자유롭게 표현해 보세요.

정해진 정답은 없어요. 나의 생각을 정확히 표현하는 것이 중요하지요.

남다른 생각을 하다 보면 창의력이 쑥쑥 자란답니다.

1. 어린 왕자에게 자기 별의 한 송이 장미꽃은 지구에서 본 수많은 장미꽃보다 소중한 친구였습니다. 어떻게 하면 이렇게 특별한 친구를 사귈 수 있는 걸까요?

여우를 만나기 전에 어린 왕자는 사막에 엎드려 울고 있었습니다. 자기가 그렇게 소중하게 생각했던 장미꽃이 실은 세상의 수없이 많은 장미꽃 가운데 하나에 불과했다는 생각 때문이죠.

하지만 여우는 어린 왕자에게 그것이 틀린 생각이라고 가르쳐 줍니다. 여우의 이야기를 듣고 나서, 어린 왕자는 자기 별의 한 송이 장미꽃이 사막의 수많은 장미꽃보다 소중하다는 사실을 알게 되지요. 한 송이 장미꽃이 어떻게 해서 수많은 장미꽃보다 소중할 수 있는지, 우선 여우의 이야기를 다시 생각해 봅시다.

여우는 어린 왕자에게 '길들인다는 것'에 대해 말해 주었습니다. 그것은 바로 친밀한 관계를 맺는다는 뜻이지요. 여우는 누군가와 서로 길들이고 길드는 친밀한 관계를 맺기 위해서는 많은 시간과 정성을 들여야 한다고 말합니다. 그래서 여우는 어린 왕자에게 "처음에는 내게서 좀 떨어져서 풀 위에 그냥 앉아 있어. 내가 곁눈으로 너를 쳐다보더라도 아무 말도 하지 말아야 해. 말이란 가끔 오해를 낳기도 하니까. 그러면서 매일 조금씩 내게로 다가오는 거야."라고 부탁했지요. 그렇게 여우는 조금씩 어린 왕자와 친해졌습니다.

마찬가지로 어린 왕자는 자기 별의 한 송이 장미꽃에게 많은 시간과 정성을 기울였습니다. 물을 주고, 벌레를 잡아 주고, 바람을 막아 주었습니다. 가끔은 성가시다는 생각이 들 정도로 말이죠. 그렇게 해서 어린 왕자는 장미꽃과 가까워졌던 겁니다. 서로가 서로에게 길이 든 것이죠.

어린 왕자는 사막에서 수없이 많은 장미꽃을 보았지만, 그 꽃들과 함께 시간을 보내지도 않았고, 그 꽃들에게 아무런 정성도 들인 적이 없지요. 그 꽃들은 어린 왕자에게 '단지 지나가면서 보는 꽃'에 불과했습니다. 그렇기 때문에 이 장미꽃들은 어린 왕자에게 아무 의미도 없는 평범한 꽃에 지나지 않는 것입니다.

그리고 여우는 우리가 누군가와 서로 길들이고 길드는 친밀한 관계를 맺었을 때, 서로가 상대방에게 세상에 단 하나밖에 없는 소중한 존재가 되는 것이라고 가르쳐 줍니다. 그래서 어린 왕자는 자기 별의 장미꽃이 자기에게 얼마나 소중한 친구인지를 깨닫게 되지요. 자기가 물을 주고 보살펴 준 한 송이 장미꽃은 자기에게 길들여진 친밀한 존재이고, 그렇기 때문에 자기에게는 수많은 다른 장미꽃보다 더 소중한 존재라는 사실을 알게 된 겁니다.

사실 '특별한 친구'를 사귀는 일은 그리 어렵지 않습니다. 특별한 방법이 있는 것도 아니고요. 내가 어떤 사람에게 진심으로 관심을 가지고 함께 시간을 보내며 서로 가까워진다면, 이미 나는 특별한 친구를 얻은 것이지요.

다만 중요한 것은, 그 사람이 내게 소중하고 특별한 친구라는 사실을 깨닫는 일입니다. 그리고 계속해서 친구로 지내기 위해 노력해야 하지요. 자기가 길들인 것에 대해서 책임을 져야 한다는 여우의 말은 바로 이런 뜻입니다.

어린 왕자는 자기 장미꽃이 얼마나 소중하고 특별한지 몰랐기 때문에 자기 별을 떠나 왔고, 늦게나마 그 사실을 깨달았기 때문에 다시 자기 별로 돌아갔습니다. 자기가 길들인 그 꽃에 대한 책임을 다하기 위해서 말이지요.

삼성초등
세계문학